Le français est un jeu

DANS LA SÉRIE *MÉMO*

Pierre Jaskarzec

Le français est un jeu

200 questions pièges
pour améliorer son français

*J*librio

Inédit

L'auteur remercie Annick Drogou, agrégée de grammaire,
pour la relecture de cet ouvrage.

Sommaire

Introduction

« [...] Naturellement aux gens qu'étaient avec moi, je disais
"c'est tout à fait ça" ou "ça me rappelle des trucs", même que
mon beau-frère m'a appris que c'était pas français de dire "s'en
rappeler". Tu savais ça, adjudant ?
— Bien sûr. À qui crois-tu que tu causes ?
— Tu vois, mon beau-frère t'apprendrait qu'il faut dire
"que tu parles".
— Dis-moi, c'est un con, ton beau-frère.
— T'en fais pas pour lui, il est devenu industriel. [...] »

Le Dimanche de la vie, Raymond Queneau.

Le français est un jeu : sous ce titre prometteur se cache un
ouvrage consacré aux « difficultés » dont notre langue est héris-
sée, c'est-à-dire aux mots, locutions, constructions qui sont
pour l'usager une source d'hésitations, de confusions et d'erreurs...

Rassurez-vous, il y a un vrai jeu dans ce livre, un jeu de
questions-réponses qu'on appelle en anglais – et hélas ! en français – un « quiz ». Le quiz est un jeu culturel amusant et un
tantinet immoral : même quand on ne sait rien, on peut parfaitement avoir raison, pour peu qu'on ait de l'intuition, l'esprit
de déduction... et de la chance ! Quel que soit votre degré de
maîtrise de la langue, vous vous reporterez avec profit aux
réponses données à la fin de chaque chapitre. Claires et conci-
ses, elles éclairent les difficultés du français en matière d'orthographe, de prononciation, de construction grammaticale, de
propriété des mots et des expressions, mais aussi plus large-
ment d'histoire linguistique. Les commentaires sont illustrés
par des exemples empruntés au langage soutenu ou à des textes
littéraires. C'est d'ailleurs là l'un des partis pris de ce petit livre :
le plaisir des mots et celui de la littérature y sont étroitement
liés. La littérature n'est-elle pas le lieu par excellence de la
richesse lexicale et syntaxique ? celui où s'exercent le plus

pleinement l'art du mot juste, le respect sourcilleux des normes ou au contraire le jeu iconoclaste des « déformations » (voir nos nombreuses citations de Raymond Queneau auquel ce livre rend hommage...) ?

Pour lire *Le français est un jeu*, munissez-vous d'un crayon, car vous serez amené à cocher des cases, entourer certains mots, en rayer d'autres... Vous pouvez lire les jeux dans l'ordre que vous voulez, mais nous vous conseillons d'alterner les thématiques (orthographe, vocabulaire, etc.) afin d'éviter toute monotonie. Au sein d'un même chapitre, le niveau de difficulté est variable. De nombreuses questions correspondent à des erreurs du langage courant. Elles vous permettront de réviser des règles fondamentales d'ordre orthographique ou grammatical (le pluriel des noms et adjectifs, les accords des participes passés, l'orthographe des adjectifs numéraux, etc.). Certaines questions, assez pointues, sont plus particulièrement destinées aux amoureux de la langue toujours gourmands de mots rares et d'expressions savoureuses.

Au fur et à mesure que vous découvrirez ce livre, vous vous étonnerez peut-être de voir s'ébaucher des personnages : Simone et Raymond, Kévin et Élodie, Karim, Karl... Il nous a semblé que Pierre et Paul, qui hantent les grammaires et les manuels scolaires depuis des décennies, devaient prendre quelque repos. Et si vous aimez le principe du « jeu sous le jeu », vous vous amuserez peut-être à repérer les liens qui unissent ces frêles « personnages grammaticaux ».

Après avoir lu *Le français est un jeu*, vous pourrez soupirer d'aise, quel que soit votre score. Non seulement vous aurez progressé dans la connaissance et la maîtrise de la langue, mais en plus vous connaîtrez désormais le plaisir très vif de collectionner les fautes des présentateurs du journal télévisé. Peut-être même irez-vous jusqu'à vous exclamer, comme un personnage de Raymond Queneau (le capitaine Bourdeille dans *Le Dimanche de la vie*) : « Ce que je cause bien, tout de même ! »

Pierre JASKARZEC

1

Restez correct !

Orthographe

« Doukipudonktan ? » se demande tonton Gabriel en ouverture du célèbre roman de Raymond Queneau, *Zazie dans le métro*. La littérature française a ainsi gagné son plus célèbre exemple d'orthographe phonétique. Dans les phrases ci-dessous, certains mots sont écrits de manière fantaisiste, d'autres dans une orthographe conventionnelle. À vous d'identifier les mots correctement écrits... (Attention : plusieurs réponses sont parfois possibles pour une même question.)

1. Pendant le repas de noces, Simone a tenu des propos **sybillins** ❐ **sibyllins** ❐ **sibilains** ❐ sur le passé de tante Annie.

2. L'employé qui s'est trompé en préparant la liste de mariage s'est exclamé :
autant pour moi ! ❐ **d'autant pour moi !** ❐ **au temps pour moi !** ❐

3. Depuis l'enfance, Raymond collectionne les **réveil matin** ❐ **réveille-matin** ❐ **réveille-matins** ❐.

4. Nicole et Monique ont pleuré comme des **madeleines** ❐ **madelaines** ❐ **Madeleine** ❐ au mariage de Simone et Raymond.

5. Les **prémices** ❐ **prémisses** ❐ du printemps rendent Nicole toute frémissante ; le beau temps la ragaillardit.

6. Marc est sur le **gril** ❐ **grill** ❐ : ce soir, il emmène Elsa dans un bar à sushis pour lui déclarer sa flamme.

7. « Quoi de plus beau que le soleil qui **poind** ❐ **point** ❐ **pointe** ❐ à l'horizon ! » s'exclame lyriquement Kévin en sortant de boîte au petit jour.

8. « Le taux de croissance de la Chine a encore **crû** ❑ **cru** ❑ cette année ! » s'enthousiasme Nicole, impressionnée par le développement accéléré de l'économie chinoise.

9. « La France renoue avec la croissance, la **résorbtion** ❑ **résorption** ❑ **résorbsion** ❑ du chômage est pour demain », a affirmé le ministre des Affaires sociales, très confiant.

10. La journaliste a demandé à Marc Roquevert quelle avait été la **génèse** ❑ **genèse** ❑ de son roman autobiographique.

11. « Nous ne sommes pas **prêts d'arriver** ❑ **près d'arriver** ❑ au cap d'Agde si les embouteillages commencent dès la porte d'Orléans », a râlé Monique sur la route des vacances.

12. Monique aime les grandes fresques romanesques en plusieurs volumes avec des héros **récurents** ❑ **récurrents** ❑ **récurants** ❑.

13. La salle **tout entière** ❑ **toute entière** ❑ s'est levée pour acclamer le secrétaire général du parti mis en examen pour complicité d'abus de biens sociaux.

14. **Tout à ses pensées** ❑ **Toute à ses pensées** ❑, Nicole n'a pas entendu la sonnerie Michel Legrand de son portable.

15. Marie-Lise écrit à Jean-Noël, qu'elle vient de rencontrer, pour lui déclarer sa flamme. Comment doit-elle terminer sa lettre ?

Tout à vous, ❑   Toute à vous, ❑
Marie-Lise   Marie-Lise

16. Certains substantifs et adjectifs doublent leur consonne finale au féminin (exemple : *gardien → gardienne*).
Dans la liste qui suit, trois mots sont écrits fautivement avec une consonne finale redoublée. À vous d'identifier les formes féminines mal orthographiées en les cochant :

vieillot → vieillotte ❑   marmot → marmotte ❑

préfet → préfette ❑   nippon → nipponne ❑

pâlot → pâlotte ❑   désuet → désuette ❑

bourguignon → bourguignonne ❑   replet → replette ❑

17. Les mots comportant des *l* « mouillés » font souvent trébucher les plus experts en orthographe. Barrez d'un trait les mots qui sont écrits fautivement.
Serpillère – joaillier – poulailler – volailler – vaniller

– bétaillère – quincailler – conseillère – marguiller – groseillier.

18. Le *h* est-il à sa place ? Rayez les mots dont l'orthographe vous paraît douteuse.
ahrres – otho-rino-laryngologie – rhétoricien – orthophonie – rédhibitoire – tacychardie – myhrre.

19. « Notre grande série d'été sur les premiers **martyres** ❐ **martyrs** ❐ **marthyrs** ❐ chrétiens a boosté l'audience », a déclaré au *Monde* la directrice de France-Culture, drôlement contente.

20. Faut-il écrire *par acquis de conscience* ou *par acquit de conscience* ? Parmi les deux explications qui suivent, une seule est véridique et donne la bonne orthographe. Laquelle ?

a. On écrit ***par acquis de conscience***. *Acquis* est le participe passé d'*acquérir*. Agir par *acquis de conscience*, c'est faire un choix, prendre une décision en tenant compte de l'expérience acquise.

b. On écrit *par acquit de conscience*. *Acquit* est le participe passé d'*acquitter*. Faire quelque chose par *acquit de conscience*, c'est agir pour libérer sa conscience, pour ne pas avoir de scrupules, de remords.

Réponses

1. Sibyllins. Dans l'Antiquité, une *sibylle* était une devineresse qui transmettait les oracles divins. Des propos *sibyllins* sont mystérieux, obscurs.

À NOTER : le terme s'emploie plus rarement en parlant d'une personne. Exemple : *un poète sibyllin*.

2. Au temps pour moi ! Se dit lorsqu'on reconnaît que l'on s'est trompé. Cette expression, généralement écrite par erreur « autant pour moi », relève au sens propre du vocabulaire militaire. Au commandement *au temps !* le soldat reprend la position antérieure, revient « au temps » précédent et s'apprête à recommencer le mouvement.

3. Réveille-matin. Ce mot piège présente trois difficultés : l'emploi de la forme verbale *réveille* (on est tenté d'écrire *réveil*), l'invariabilité (*matin* n'est pas un complément d'objet direct mais un complément circonstanciel), et le trait d'union qu'il ne faut pas oublier.

Réveille-matin, quelque peu désuet, a cédé la place à son abréviation *réveil*, qui pose nettement moins de problèmes orthographiques. Exemple : *n'oubliez pas de régler vos réveils pour le passage à l'heure d'été*.

4. Madeleine. L'origine de l'expression *pleurer comme une Madeleine* étant méconnue, le nom propre est souvent pris à tort pour le nom commun. La Madeleine en question est généralement assimilée au petit gâteau conchoïdal dont l'invention est attribuée à la cuisinière Madeleine Paumier. Les plus malins flairent à tort une allusion à la « madeleine de Proust ». En fait, les références pâtissières et littéraires doivent ici s'effacer devant l'allusion biblique. Une tradition fait en effet de Marie-Madeleine la pécheresse repentie qui a mouillé de ses larmes les pieds du Christ (Luc 7, 36).

5. Prémices. Dans l'Antiquité, les *prémices* étaient les premiers fruits ou les animaux premiers-nés qu'on offrait aux divinités. Au figuré, le mot signifie « début, commencement ». *Prémices* est un mot féminin, il s'écrit toujours au pluriel et est d'un registre littéraire. Exemples : *les prémices d'un amour*, *les prémices du printemps*, etc.

Il faut se garder de confondre ce terme avec son homonyme *prémisse*. Une *prémisse* désigne le point de départ d'un raisonnement, d'une démonstration. Exemple : *votre raisonnement ne tient pas, parce que la prémisse en est fausse.*

À NOTER : dans le domaine de la logique, les *prémisses* sont les deux propositions d'un syllogisme qui mènent à la conclusion. Exemple :
Tous les hommes sont mortels (prémisse majeure)
Or Raymond est un homme (prémisse mineure)
Donc Raymond est mortel (conclusion).

6. Gril. Un *gril* est un accessoire de cuisine constitué d'une grille métallique sur laquelle on fait cuire à feu vif de la viande ou du poisson. À l'origine, le *gril* était un instrument de torture qui servait au supplice du feu, d'où le sens figuré de l'expression familière *être sur le gril* : « être dans un état de grande impatience, de vive anxiété ». Le mot *grill*, souvent confondu avec son homonyme, est une abréviation de l'anglais *grill-room* et désigne un restaurant où l'on sert des grillades.

À NOTER : *être sur le gril* a pour équivalent dans un registre littéraire *être sur des charbons ardents*.

7. Point ou **pointe.** *Poindre* est un verbe défectif (c'est-à-dire qu'il ne se conjugue pas à toutes les formes). De nos jours, ses emplois se limitent le plus souvent à l'infinitif et à la troisième personne du singulier de l'indicatif présent. Pour ne pas être tenté d'écrire « il poind », il faut se rappeler que *poindre* se conjugue comme *joindre*. Exemple : *le jour point.*
Quant au verbe *pointer*, il peut lui aussi signifier « apparaître » et offre l'avantage d'avoir une conjugaison régulière. Exemple : *le petit jour pointa.*

8. Crû. *Crû* est le participe passé du verbe *croître*. On oublie parfois l'accent par confusion avec le participe passé de *croire* (exemple : *il l'a cru*) et l'adjectif *cru* (exemple : *des légumes crus*) qui ne prennent pas d'accent circonflexe.
Attention ! Les autres formes du participe passé de *croître* (*crue, crues, crus*) s'écrivent sans accent.

9. Résorption. On est parfois tenté d'écrire fautivement « résorbtion », par analogie avec la forme *résorber* dont *résorption* est dérivé. Même remarque pour *absorber* et *absorption*.

10. Genèse. Certains usagers prononcent et écrivent « génèse » à la place de *genèse*. Cette faute assez courante témoigne du peu de familiarité des Français avec le vocabulaire biblique, le titre du premier livre de la Bible consacré à la création du monde étant bien *Genèse*.

11. Près de. « La polémique n'est pas prête de s'éteindre. » Cette phrase (une parmi tant d'autres), entendue sur une chaîne de télévision, est incorrecte. En effet, être *près de* faire quelque chose, c'est être sur le point de le faire. Exemple : *le ton est monté entre les protagonistes du débat télévisé qui étaient près d'en venir aux mains.* Mais être *prêt à* faire quelque chose, c'est être préparé pour, être disposé à faire cette chose. Exemple : *le présentateur a demandé aux protagonistes du débat s'ils étaient prêts à faire des excuses aux téléspectateurs*.

12. Récurrents. *Récurrent* se dit de ce qui revient, réapparaît, se répète. Ainsi parle-t-on de héros *récurrents* (dans des romans, des séries télévisées), de rêves *récurrents*, de fantasmes *récurrents*, etc. Pour éviter une faute d'orthographe qui prête à sourire, on se gardera de confondre ce terme avec son homonyme *récurant*, participe présent de *récurer*, qui se dit davantage de certaines éponges que de héros romanesques.

13. La salle tout entière. *Tout* est ici adverbe et est donc invariable.

Rappel de la règle : *tout*, adverbe, est invariable devant un adjectif. Cependant, *tout* est variable en genre et en nombre devant un adjectif féminin commençant par une consonne ou un *h* aspiré. On écrira donc : *elle est tout étonnée*, mais *elle est toute contente* et *elle est toute hâlée*.

À noter : la règle sur l'accord de *tout* devant un adjectif a été entérinée par l'Académie française au XVIIIe siècle. À l'époque classique, *tout* était généralement accordé quel que soit le cas. « Je suis toute ébaubie, et je tombe des nues ! » (Madame Pernelle dans *Tartuffe*, Molière, acte V, scène V.)

14. Toute à ses pensées. Dans ce type de tour prépositionnel (*tout à*, *tout en*), *tout* est généralement traité comme un adjectif et s'accorde donc avec le sujet (ici : Nicole).
Attention ! Au pluriel, dans le même cas, *tout* sera traité comme adverbe pour éviter l'équivoque. Ainsi, on écrira : *elles sont tout à leurs pensées* (c'est-à-dire qu'elles sont *entièrement* à leurs pensées). Employer un adjectif donne un sens différent à la phrase. *Elles sont toutes à leurs pensées* signifie que toutes les personnes évoquées sont perdues dans leurs pensées.

15. Toute à vous. Quand une femme écrit *tout à vous* à un homme, elle lui signifie par là qu'elle lui est simplement dévouée. La formule n'est donc que de politesse. *Toute à vous* suggère une plus grande intimité, un élan du cœur. Cette distinction traditionnelle semble avoir été établie par des grammairiens qui ne plaisantaient ni avec l'orthographe ni avec la morale. Deux sujets avec lesquels l'auteur de ces pages n'a nulle envie de plaisanter.

16. Il fallait barrer les mots suivants qui figurent en gras. Vieillot → vieillotte / marmot → marmotte / **préfet** → **préfette** (on écrit *préfète*) / nippon → nipponne (ou nippone) / pâlot → pâlotte / **désuet** → **désuette** (on écrit *désuète*) / bourguignon → bourguignonne / **replet** → **replette** (on écrit *replète*).

À NOTER : **1.** *Marmot* a d'abord désigné un singe (XVᵉ siècle), puis un petit garçon (XVIIᵉ siècle). *Marmotte*, féminin de *marmot*, est ignoré des dictionnaires contemporains, mais le mot figure dans le *Dictionnaire de l'Académie française* avec ce charmant exemple : « *Que nous veut cette marmotte ?* » (6ᵉ édition, 1835). **2.** *Préfet* a pour féminin *préfète*, sans redoublement du *t* final. La *préfète* est la femme du *préfet*, ou plutôt était, car *préfète* désigne de plus en plus une femme préfet.

17. Il fallait rayer les mots qui figurent en gras : **serpillère** – joaillier – poulailler – volailler – **vaniller** – bétaillère – **quincailler** – conseillère – **marguiller** – groseillier.

À NOTER : **1.** *Serpillière* s'écrit avec un *i* après la double consonne. **2.** *Vanillier* (plante dont le fruit est la vanille) s'écrit avec un *i* après la consonne redoublée, au contraire de son homonyme *vanillé* (aromatisé ou parfumé à la vanille). **3.** On écrit *quincaillier*. **4.** On écrit *marguillier* (personne laïque chargée de la surveillance et de l'entretien d'une église).

18. Il fallait rayer les mots qui figurent en gras : **ahrres** – **otorino-laryngologie** – rhétoricien – orthophonie – rédhibitoire – **tacychardie** – **myhrre**.

À NOTER : **1.** On écrit des *arrhes*. Les *arrhes* sont la somme versée par l'une des parties à la conclusion d'un contrat. **2.** On écrit *oto-rhino-laryngologie*. *Rhino* vient du grec *rhinos*, « nez » (*rhinocéros*, *rhinoplastie*, etc.). Le mot n'est guère facile à orthographier et, pour le repos de tous, s'abrège souvent en ORL. **3.** *Rhétoricien* vient du grec *rhêthôr*, « orateur ». Un *rhétoricien* est un spécialiste de la rhétorique. **4.** L'*orthophonie*, du grec *orthos*, « correct », et *phônê*, « son, voix », est la rééducation des troubles du langage oral et écrit. **5.** On écrit *tachycardie*, « accélération du rythme cardiaque ».

Attention ! Le digramme (*ensemble de deux lettres qui correspondent à un seul son*) *ch* se prononce ici *k*. **6.** On écrit *myrrhe* (gomme aromatique produite par certains arbres). Avec l'or et l'encens, la *myrrhe* est l'un des présents apportés à Jésus par les Rois mages.

19. Martyrs. Le mot *martyr* a d'abord désigné un chrétien mis à mort parce qu'il rendait témoignage de sa foi (*martur* signifie « témoin », en grec). Par la suite, on a nommé ainsi toute personne sacrifiant sa vie pour une cause (religieuse, politique, etc.).

Le *martyre* (avec un *e* final), c'est le châtiment enduré par le *martyr*. Dans un sens « affaibli », le mot s'applique à toute grande souffrance physique ou morale, quelle qu'en soit la cause. Exemple : *Garance souffre le martyre depuis qu'elle a une rage de dents.*

20. b. On écrit *par acquit de conscience* qui signifie « pour ne pas avoir de remords, pour ne pas charger sa conscience ».

2

Les liaisons dangereuses

Prononciation et liaisons

Les erreurs de prononciation ne sont pas réservées aux enfants. Leur fameux « J'aime pas les z-haricots » est plus répandu qu'on ne le croit. De même, on entend si souvent parler des « z-handicapés » qu'on se met à douter que le *h* initial soit bel et bien... aspiré. Radios et télévisions entretiennent généreusement de telles prononciations fautives et ont fait des liaisons les plus élémentaires une espèce menacée d'extinction. Votre mérite n'en sera que plus grand si vous identifiez la prononciation « normale » ou du moins traditionnelle des mots suivants :

1. Dylan, le petit frère de Kévin, a fière allure sur les chevaux de bois du **carrousel**.
   Carrousel se prononce *carroussel* ❐ *carrouzel* ❐

2. « Entrer en première l'an prochain sera pour Kévin une véritable **gageure** », a déclaré son professeur de français en conseil de classe.
   Gageure se prononce *gajeure* ❐ (comme *vengeur*) *gajure* ❐

3. « Il ne faut pas tirer de conclusions **trop hâtives** après un premier trimestre », a tempéré le professeur principal.
   On prononce en faisant la liaison : *tropatives* (*h* muet) ❐
   On prononce sans faire la liaison : *trop 'hâtives* (*h* aspiré) ❐

4. Karim est encore tout **abasourdi** par la terrible nouvelle qu'il vient d'apprendre à la radio.
   Abasourdi se prononce *abassourdi* ❐ *abazourdi* ❐

5. « Tous ces corps sont affreux », soupire le médecin scolaire qui voit défiler des adolescents **dégingandés** à longueur de journée.
   Dégingandés se prononce *déjingandés* ❐ *dégu-ingandés* ❐

6. Depuis qu'il a quitté la province pour la capitale, Marc est pris dans le **maelström** de la vie parisienne.
   Maelström se prononce *malstreum* (comme *jeu*) ❏ *maelstrom* (comme *rhum*) ❏

7. Après avoir englouti un **moelleux** au chocolat et ses deux boules vanille, Monique a annoncé à la famille son intention de suivre un régime draconien.
   Moelleux se prononce *mwaleux* ❏ *mwèleux* ❏

8. « **L'hiatus** (*h* muet) ❏ **Le hiatus** (*'h* aspiré) ❏ entre la qualité du gouvernement et son impopularité est inexplicable », fait observer Nicole à table.

9. « On va vous mettre un tube dans l'**œsophage** pour l'examen, ça n'est absolument pas douloureux », a affirmé le médecin à Nicole, très confiante.
   Œsophage se prononce *eusophage* (comme dans *jeu*) ❏ *ésophage* ❏

10. « À la télé, ils ont dit que la justice aurait bien du mal à démêler cet **imbroglio** politico-financier », a confié Monique à Nicole pour lui montrer qu'elle aussi suivait l'actualité.
    Imbroglio se prononce *imbrollio* ❏ *imbroglio* ❏

11. Au cirque, Dylan a applaudi à tout rompre lorsque le **dompteur** a mis sa tête dans la gueule du lion (et ce à trois reprises).
    Dompteur se prononce *dom-teur* ❏ *domp-teur* ❏

12. Le ministre a dénoncé à la tribune de l'Assemblée la **pusillanimité** de l'opposition du temps où elle était aux affaires.
    Pusillanimité se prononce *pusi-lanimité* (comme dans *village*) ❏ *pusi-llanimité* (comme dans *mouillage*) ❏

13. Dans son dernier commentaire composé, Kévin s'est enthousiasmé pour le **legs** de la civilisation gréco-latine : philosophie, poésie, sculpture...
    Legs se prononce *lè* ❏ *lègue* (comme *bègue*) ❏ *lègz* ❏

14. Nicole a fait sensation au mariage de Simone et Raymond avec sa robe rose **fuchsia**.
    Fuchsia se prononce *fuchia* ❏ *fuksia* ❏

Réponses

1. Carrousel se prononce *carrouzel*, *s* entre voyelles correspondant au son [z]. Le **carrousel** est un manège de chevaux de bois. Courant en Suisse et en Belgique, le mot s'emploie plus rarement en France.

2. Gageure se prononce *gajure*. Une **gageure** est un projet si difficile à réaliser qu'il s'apparente à un défi.

3. 'Hâtives. Dans *hâte* et ses dérivés, le *h* est aspiré. Attention aux *conclusions « tropatives »* qu'on entend parfois à la radio ou à la télévision.

4. Abasourdi se prononce *abazourdi*. Dans l'argot ancien, *basourdir* voulait dire *tuer*. La prononciation avec un [s] sourd s'explique sans doute par l'attraction d'*assourdir*.

À NOTER : bien que long, lourd et rarement employé, l'adjectif *abasourdissant* existe bel et bien. Exemple : *une nouvelle abasourdissante*.

5. Dégingandés se prononce *déjingandés*. On dit de quelqu'un qu'il est *dégingandé* quand il est de haute taille et qu'il a quelque chose de disloqué dans l'allure, la démarche.

6. Maelström se prononce *malstreum* [ø], comme dans *jeu*. C'est un mot particulièrement difficile à prononcer pour un locuteur français qui en découvre l'orthographe étrange, exotique.

À NOTER : un *maelström* (mot néerlandais) est un tourbillon marin des côtes norvégiennes. Edgar Allan Poe en a donné des images saisissantes et grandioses dans sa nouvelle *Une descente dans le Maelstrom* [sic], traduite par Baudelaire. Au sens figuré (registre littéraire), un *maelström* est un mouvement impétueux qui nous entraîne dans des directions aussi variées qu'imprévues...

7. Moelleux se prononce *mwaleu* de même que *moelle* se prononce *mwalle*.

Attention ! Ne pas ajouter un tréma sur le premier *e*.

8. L'hiatus (*h* muet). La prononciation la plus courante – le *'hiatus*, ce *'hiatus* – contredit la prononciation correcte : l'*hiatus*, cet *hiatus*.

À NOTER : on appelle *hiatus* la rencontre de deux voyelles entre deux mots qui se suivent. Dans *Le Bon Usage*, le grammairien Maurice Grevisse reconnaît avec lucidité que « la langue parlée se préoccupe assez peu de l'hiatus ». Il est vrai que les locuteurs lambda prononcent quotidiennement – et sans aucun complexe – des phrases comme « *Paul va à Argenteuil* », où l'on trouve pourtant un double *hiatus*. En revanche, les poètes se sont montrés autrefois fort soucieux d'éviter l'*hiatus*, du moins dans ses formes les plus dissonantes. Au XVIᵉ siècle, Ronsard et les poètes de la Pléiade en ont restreint l'usage, avant que Malherbe et Boileau ne le proscrivent à l'époque classique.

Au sens figuré (et dans un registre soutenu), *hiatus* signifie « rupture, décalage ».

9. Œsophage se prononce *ésophage*. Le digramme (ensemble de deux lettres qui correspondent à un seul son) *œ* connaît plusieurs prononciations. On distingue deux grandes familles :
– la prononciation en [œ], comme dans *beurre* : *bœuf*, *cœur*, *œil*, *œuvre*, etc. ;
– la prononciation en [e], comme dans *école* : *fœtus*, *œcuménique*, *Œdipe*, *œnologue*, etc., et tous les autres mots d'origine grecque. La prononciation en [ø] (comme dans *jeu*) tend à remplacer cette prononciation traditionnelle et savante.

10. Imbroglio se prononce *imbrollio*. La prononciation traditionnelle est conforme à la prononciation italienne. Si vous donnez à entendre le *g*, le péché est véniel : vous ne faites que franciser la prononciation d'un mot étranger attesté en français depuis la fin du XVIIᵉ siècle.

11. Dompteur se prononce *dom-teur*. En principe, le *p* est muet dans *dompter* et ses dérivés (même remarque pour *compter*). La prononciation *dom-teur* est « plus soignée » que *domp-teur*, souligne Maurice Grevisse dans *Le Bon Usage*. « Le *p* ne se prononce pas », renchérit l'Académie.

12. Pusillanimité se prononce *pusi-lanimité* (comme dans *village*). Depuis le XVIIIᵉ siècle, le *Dictionnaire de l'Académie française* est formel : « On prononce les *l*, mais sans les mouiller. » On ne voudrait pas se fâcher avec l'Académie pour si peu...

À NOTER : est *pusillanime* celui qui manque d'audace, qui craint les risques, les responsabilités (du latin *pusillus animus*, « esprit étroit »).

13. Legs se prononce *lè*. Cette prononciation orthodoxe est devenue rare, et ce mot est généralement prononcé aujourd'hui *lègue,* voire *legz. Legs* vient de l'ancien français *lais* (lui-même dérivé de *laisser*). Au XVᵉ siècle, l'orthographe de ce mot a été « latinisée » par un faux rapprochement avec *legatum*, « legs ». La prononciation traditionnelle *lè* est donc la seule conforme à l'étymologie véritable du mot.

À NOTER : un *legs* est un don fait par testament. Au sens figuré, le mot désigne un héritage transmis aux générations qui suivent. Exemple : *les acquis sociaux sont le legs des générations passées.*

14. La prononciation traditionnelle et savante de **fuchsia** est *fuksia*, conformément à l'étymologie du mot. En effet, le nom de cet arbrisseau est formé sur le nom du botaniste allemand L. Fuchs. Bien que mentionnée par les principaux dictionnaires, cette prononciation ne semble en usage que chez les botanistes, mais la connaître permet de mieux mémoriser l'orthographe compliquée du mot.

3

Drôle de genre !

Le genre des mots

Dans *Zazie dans le métro* (RAYMOND QUENEAU), la douce Marceline, compagne de tonton Gabriel, se révèle être... Marcel à la fin du roman. Voilà un personnage d'un drôle de genre ! Les noms communs, eux aussi, hésitent parfois entre masculin et féminin, certains refusant même de choisir leur camp. Saurez-vous donner aux mots suivants... le bon genre ? (Attention : plusieurs réponses sont parfois acceptables pour une même question.)

1. Élodie cherche **un échappatoire** ❐ **une échappatoire** ❐ pour refuser l'invitation de Jonathan sans le blesser.

2. Tous les dimanches midi, **de délicieux effluves** ❐ **de délicieuses effluves** ❐ s'échappent de la cuisine de Simone.

3. Ce week-end dans leur fermette du Perche a été **une oasis** ❐ **un oasis** ❐ de calme et de repos pour Nicole et Jacques.

4. Chaque matin, Kévin soulève des **haltères** bien trop **lourdes** ❐ **lourds** ❐ pour lui.

5. Kévin n'aime pas les livres dans lesquels les mots suivis **d'un astérisque** ❐ **d'une astérisque** ❐ sont expliqués à la fin de l'ouvrage.

6. Le prix des Bons Libraires a été pour l'écrivain Marc Roquevert une consécration, **un apogée** ❐ **une apogée** ❐ dans son long cheminement vers le succès.

7. Valentin Triponet voudrait bien que ses mémoires soient **publiées** ❐ **publiés** ❐ par un éditeur, mais il ne sait à qui les adresser.

8. Kévin et Élodie ont passé **tout l'après-midi** ❐ **toute l'après-midi** ❐ à commenter la dernière émission de « Star à tout prix ».

9. « **Les soldes** de cet hiver **suffiront-ils** ❐ **suffiront-elles** ❐ à relancer la consommation en France ? » se demande Nicole, inquiète.

10. « J'ai eu **de grands amours** ❐ **de grandes amours** ❐ dans ma vie », soupire rêveusement Simone à la veille de son remariage.

11. Le président de la République a prononcé **une vibrante éloge** ❐ **un vibrant éloge** ❐ de son Premier ministre, « l'homme dont la France a besoin », a-t-il déclaré d'un ton solennel.

12. « Cette crème est particulièrement efficace contre les cernes qui ont la couleur **du colchique** ❐ **de la colchique** ❐ », indique la notice de l'anti-cernes acheté par Nicole.

13. Karim, très expert en médecines douces, a expliqué à Nicole que rien ne valait les bonbons **au réglisse** ❐ **à la réglisse** ❐ pour soulager ses aigreurs d'estomac.

14. Pendant sa cure de remise en forme, les bains de boue au sel marin ont procuré à Nicole **des délices infinies** ❐ **des délices infinis** ❐.

15. Aujourd'hui, la maîtresse a expliqué à Dylan comment les abeilles déposaient leur miel dans **les petites alvéoles** ❐ **les petits alvéoles** ❐ de la ruche.

16. Dans son dernier roman, Marc Roquevert explore **toutes les arcanes** ❐ **tous les arcanes** ❐ du fascinant milieu littéraire.

Réponses

1. Une échappatoire. Le mot est très souvent employé au masculin par erreur.

2. De délicieux effluves. Le mot est du genre masculin, mais l'usage le fait souvent féminin, sans doute à cause de la finale en -*e*. Si vous avez coché la mauvaise case, dites-vous que vous avez d'illustres prédécesseurs : Hugo, Flaubert... ont écrit *effluves* au féminin.

À NOTER : le mot est rare au singulier.

3. Une oasis. Ce mot grec d'origine égyptienne a été employé fautivement au masculin par certains auteurs.

4. Lourds. L'usage est hésitant, mais le mot est bien masculin.

5. D'un astérisque. Du grec *asteriskos*, « petite étoile », *l'astérisque* est un signe typographique en forme d'étoile (*) qui, placé après un mot, renvoie à une note explicative. Voilà un terme soumis à rude épreuve par les usagers de la langue française, l'erreur fréquente sur le genre s'accompagnant immanquablement d'une prononciation incertaine, du type « astérix ».

6. Un apogée. Malgré sa finale en -*e*, le mot est masculin, comme *lycée* ou *musée*. Au sens figuré, *l'apogée* est le plus haut degré atteint dans un état, une situation, etc. Exemple : *en devenant président, il serait enfin à l'apogée de sa carrière politique.*

7. Publiés. Les *mémoires* sont le récit qu'une personne fait d'événements dont elle a été le témoin et généralement l'un des acteurs.

Attention ! La tentation est forte de faire le mot féminin, par confusion avec l'homonyme *la mémoire*.

À NOTER : quand il désigne un titre d'œuvre, le mot prend impérativement une capitale. Exemple : *Les* Mémoires *de Saint-Simon.*

8. Tout l'après-midi *ou* **toute l'après-midi.** Le mot appartient aux deux genres, mais l'usage actuel tend à privilégier le masculin.

À NOTER : le mot est invariable en nombre. *Des après-midi.*

9. Suffiront-ils. Le mot est masculin, contrairement à son homonyme qui désigne la rémunération des militaires (*la solde* du soldat).

10. De grands amours ou **de grandes amours.** Le genre d'*amour* est incertain tout au long de son histoire. En ancien français et au XVIIᵉ siècle, *amour* était souvent féminin, au singulier comme au pluriel. De nos jours, il est masculin dans l'usage courant et généralement féminin au pluriel dans le registre littéraire et poétique. En voici un exemple relevé chez le poète des *amours* malheureux... ou malheureuses :

« Ils regardent sur les routes les femmes qui passent
Ils les désirent mais moi j'ai de plus hautes amours
Et qui sont ma patrie ma famille et mon espérance
À moi soldat amoureux soldat de la douce France »

(*Poèmes à Lou*, GUILLAUME APOLLINAIRE.)

De son côté, Raymond Queneau emploie ici le mot au féminin singulier, sans doute par imitation de la langue populaire :

« Non, ce n'était pas encore la grande amour. Ah ! la grande amour, ça vient, on ne sait pas quand, on ne sait pas comment, et qui mieux est, on ne sait pas pour qui. Du moins, à ce qu'il paraît. Alors ce ne sont plus que clairs de lune, gondoles, ivresses éthérées, âmes sœurs et fleurs bleues. »

(*Pierrot mon ami*, RAYMOND QUENEAU.)

11. Un vibrant éloge. Un éloge est un discours qui vante les mérites de quelqu'un ou de quelque chose. On entend souvent dire « une éloge », sans doute à cause de la finale en -*e*, mais le seul genre admis est le masculin.

12. Le colchique. Plante vénéneuse qui fleurit en automne. On songe aux vers d'Apollinaire :

« Le pré est vénéneux mais joli en automne
Les vaches y paissant
Lentement s'empoisonnent
Le colchique couleur de cerne et de lilas
Y fleurit tes yeux sont comme cette fleur-là
Violâtres comme leur cerne et comme cet automne
Et ma vie pour tes yeux lentement s'empoisonne »

(« Les Colchiques », *Alcools*, GUILLAUME APOLLINAIRE.)

13. La réglisse ou **le réglisse.** Quand le mot désigne la plante, il est toujours féminin. Exemple : *la racine de la réglisse est utilisée en confiserie et en pharmacie.* Pour évoquer le produit obtenu à partir de la plante (jus ou pâte), on a le choix entre le féminin et le masculin. Exemples : *mâcher de la réglisse, sucer du réglisse,* etc.

14. Des délices infinies. Au singulier, le mot est masculin. Exemple : *ces macarons sont un délice.* Au pluriel, le mot est féminin et d'un registre littéraire (dans *Aurélia*, GÉRARD DE NERVAL évoque les « délices infinies de l'imagination »).

À NOTER : le mot *délice* a d'abord appartenu aux deux genres, au singulier comme au pluriel. À partir du XVIIe siècle, les grammairiens ont voulu calquer l'usage français sur le latin en rattachant *délice* à *delicium* (nom neutre singulier) et *délices* à *deliciae* (nom féminin pluriel). La première édition du *Dictionnaire de l'Académie française* (1694) a entériné cette distinction qui s'est établie au fil du temps dans le bon usage.

15. Les petites alvéoles ou **les petits alvéoles.** D'après les dictionnaires contemporains (*Larousse, Robert*), *alvéole* est aujourd'hui du genre féminin, mais l'Académie française n'en démord pas depuis 1694 : *alvéole* est masculin, conformément à l'étymologie latine *alveolus.* Les auteurs, eux, ne savent plus à quel saint se vouer et font le mot tantôt féminin, tantôt masculin. Il faut s'y résoudre : *alvéole* fait partie de ces mots qui appartiennent aux deux genres...

16. Tous les arcanes. *Arcane* est du genre masculin et vient du latin *arcanum*, « secret ». Au sens premier, *arcane* est un terme d'alchimie qui signifie « opération mystérieuse, secret de fabrication ». Aujourd'hui, on emploie le plus souvent le mot au pluriel avec le sens général de « secrets, mystères » (registre soutenu ou littéraire). Exemple : *s'initier aux arcanes de la politique.*

4

Faux frères

Les homonymes

En français, on compte environ mille mots comportant des homonymes, c'est-à-dire des mots de prononciation identique, mais de sens différent. Source d'innombrables calembours et jeux de mots, l'homonymie est aussi grande pourvoyeuse de fautes d'orthographe. Grâce à ce jeu, vous saurez si une maison est *décrépie* ou *décrépite*, si vos vœux les plus chers seront *exaucés* ou *exhaussés*, mais surtout vous saurez enfin si après un bon repas vous avez fait *bonne chair*, *bonne chère*, ou *bonne chaire*.

1. « RETOUR D'AFFECTION – RÉUSSITE PROFESSIONNELLE – GUÉRISON RAPIDE. Je peux **exaucer tous vos souhaits** ❐ **exhausser tous vos souhaits** ❐ », promet la publicité du célèbre marabout.

2. « Rien de tel que le soleil et le vent pour vous **haler** ❐ **hâler** ❐ joliment le visage », a déclaré Nicole à sa belle-mère, Simone, au retour de ses vacances à La Baule.

3. « Moi, je la trouve plutôt **décrépie** ❐ **décrépite** ❐, la Nicole », a soufflé Monique à l'oreille de son mari.

4. « Je me sens de **plain-pied** ❐ de **plein pied** ❐ avec les personnes les plus simples », s'est félicitée Nicole auprès de son mari, après avoir plaisanté avec son employée de maison.

5. Les invités ont tous reconnu avoir fait **bonne chaire** ❐ **bonne chair** ❐ **bonne chère** ❐ au repas de noces de Simone et Raymond.

6. À la fin du banquet, Raymond, un peu gris, a déclaré à la cantonade : « Elle a une belle morphologie et de bien beaux **appas** ❐ **appâts** ❐, ma petite femme. »

7. Marc Roquevert comptait faire don de ses manuscrits au **fond** ❏ **fonds** ❏ du roman contemporain de la Bibliothèque nationale, mais le conservateur a poliment refusé.

8. « Tu n'étais pas **censé** ❏ **sensé** ❏ réviser ton histoire-géo ? » s'est indignée Monique en découvrant Kévin affalé devant la T.V.

Réponses

1. Exaucer. *Exaucer* quelqu'un, c'est le satisfaire en lui accordant ce qu'il demande. Le mot a d'abord été réservé à un contexte religieux. Exemple : *Serguéï a prié et Dieu l'a exaucé.* Puis il a pris le sens général de « répondre favorablement à une demande, un vœu, un souhait ». Exemple : *son souhait d'être muté à Châteauroux a été exaucé.*
L'homonyme *exhausser* signifie « augmenter la hauteur, surélever ». On *exhausse* une maison, un mur, etc. Au figuré, on peut aussi *exhausser* son âme, c'est-à-dire l'élever (registre littéraire... et quelque peu exalté).

2. Hâler. Un teint *hâlé* est coloré, bruni par l'air et le soleil. Son homonyme, *haler*, est un terme de marine qui signifie « tirer sur ». On *hale* un cordage, un câble. *Haler* un bateau, c'est le remorquer depuis le rivage au moyen d'un cordage.

3. Décrépite. On est *décrépit* lorsqu'on est très dégradé par le poids des ans. Le qualificatif n'est guère aimable, surtout en deçà d'un certain âge. *Décrépit* est souvent confondu avec son homonyme, *décrépi*, « qui a perdu son crépi ». Comme l'a fait observer le grammairien P. Dupré, « *un mur décrépi* a perdu son crépi : il est donc en mauvais état et évoque une idée d'abandon et de vieillesse ». D'où la confusion fréquente entre les deux termes...

4. De plain-pied. Au sens propre, *de plain-pied* signifie « au même niveau ». Exemple : *une terrasse de plain-pied avec un appartement*. Dans cette locution, *plain* est un adjectif (du latin *planus*) qui a le sens de « plat, uni, sans aspérités ». Au sens figuré, on est *de plain-pied* avec quelqu'un quand on se sent naturellement sur un pied d'égalité avec lui.

5. Bonne chère. *Chère* (du grec *kara*, « tête, visage ») est un synonyme littéraire de *nourriture*. Le mot est surtout vivant aujourd'hui dans l'expression figée *faire bonne chère*, qui a signifié primitivement « faire bon visage, bon accueil », puis « faire un bon repas » (sens attesté dès le XIVe siècle).

« Or, dit Pantagruel, faisons un peu bonne chère et buvons, je vous en prie, enfants, car il fait bon boire. » (*Pantagruel*, FRANÇOIS RABELAIS.)

6. Appas. Depuis le XVIIᵉ siècle, le mot *appas* (ancien pluriel d'*appât*) désigne les attraits du corps féminin. Exemples : *de doux appas*, *de charmants appas*, etc. De nos jours, le mot est d'un emploi plaisant.

7. Fonds. Le *fonds* désigne ici les ressources d'une bibliothèque. Des deux homonymes, *fond* est le plus usité, notamment dans de nombreuses locutions (*à fond*, *au fond*, *dans le fond*, etc.). *Fonds* est cantonné à quelques emplois, notamment dans le domaine de la propriété (*un fonds de commerce*), de l'argent (*être en fonds*) et du financement (*avoir les fonds nécessaires*, *prêter à fonds perdu*, etc.).

À NOTER : *fond* et *fonds* sont à l'origine deux variantes graphiques. À compter du XVIIᵉ siècle, les deux formes se sont distinguées dans leurs emplois, mais la confusion reste grande dans l'usage.

8. Censé. Être *censé* faire quelque chose, c'est être supposé faire cette chose. Exemple : *papa est censé être en voyage d'affaires*.

Être *sensé*, c'est avoir du bon sens, être raisonnable. Exemple : *quelqu'un de sensé ne ferait jamais une chose aussi folle*.

À NOTER : il convient de distinguer également les deux adverbes dérivés : *censément* et *sensément*.

5

Conjuguez vos efforts !

Conjugaison

« — Je me vêts, répéta-t-il douloureusement. C'est français ça : je me vêts ? Je m'en vais, oui, mais : je me vêts ? Qu'est-ce que vous en pensez, ma toute belle ? — Eh bien, allez-vous-en. » (*Zazie dans le métro*, RAYMOND QUENEAU.)

Qui peut prétendre n'avoir jamais été embarrassé par la conjugaison de certains verbes[1] ? En répondant aux questions qui suivent, vous jonglerez avec les verbes irréguliers, résoudrez les pires difficultés du passé simple, et ferez sonner quelques imparfaits du subjonctif aux désinences légères...

1. « Raymond et moi, nous nous (*vêtir*, **présent de l'indicatif**) chaudement quand l'hiver s'annonce », déclare fièrement Simone.
vêtissons ❑ vêtons ❑

2. « Avec l'âge, nous (*acquérir*, **présent de l'indicatif**) une certaine sagesse », reconnaît Simone en se reservant une part de tarte aux trois chocolats.
acquérons ❑ acquierons ❑

3. Le buffet du vernissage ayant été pillé, Valentin (*conclure*, **passé simple**) qu'il avait fait le tour de l'exposition. Et il partit.
conclut ❑ conclua ❑

4. « J'étais sûre que vous (*demander*, **conditionnel présent**) ma main », a confié Simone à Raymond.
demandriez ❑ demanderiez ❑

---

1. Pour les tableaux complets des conjugaisons, voir Nathalie Baccus, *Conjugaison française*, Librio n° 470.

5. « Dans cette boutique, ils (*moudre*, **présent de l'indicatif**) le café sous vos yeux », s'émerveille Nicole.
moudent ❏ moulent ❏

6. « J'ai trouvé un excellent ouvrage qui (*résoudre*, **présent de l'indicatif**) tous les problèmes de conjugaison ! » s'enthousiasme Kévin.
résoud ❏ résout ❏

7. Le succès de l'écrivain Marc Roquevert ne se (*démentir*, **présent de l'indicatif**) pas depuis qu'il a remporté le prix des Bons Libraires.
dément ❏ démentit ❏

8. Comme le temps avait fraîchi, Nicole (*prévoir*, **passé simple**) une petite laine avant sa promenade du soir sur la plage de La Baule.
prévut ❏ prévit ❏ prévoya ❏

9. Jacques et Nicole (*s'asseoir*, **passé simple**) sur un banc face à la mer et commencèrent à s'ennuyer.
s'assirent ❏ s'asseyèrent ❏

10. Avant de quitter la plage, les enfants (*détruire*, **passé simple**) le château de sable qu'ils avaient patiemment édifié.
détruirent ❏ détruisirent ❏

11. « Vous (*contredire*, **présent de l'indicatif**) ce que le Président a déclaré ! » a claironné le chef de l'opposition à la face du Premier ministre, nullement embarrassé.
contredisez ❏ contredites ❏

12. Au futur, la 3e personne du singulier du verbe *choir* s'écrit (deux formes possibles) :
choira ❏ choiera ❏ cherra ❏

13. Au commissariat, un agent zélé (*transcrire*, **passé simple**) patiemment la déposition de Monique, victime d'un vol à l'arraché.
transcrit ❏ transcrivit ❏

14. « Il eût fallu que tu (*s'enquérir*, **imparfait du subjonctif**) des jours d'ouverture », reprocha Nicole à son mari devant les portes closes du Musée océanique.
t'enquisses ❏ t'enquérisses ❏ t'enquiérasses ❏

15. « Moi, j'avais proposé que nous (*aller*, **imparfait du subjonctif**) au ciné », se défendit mollement Jacques.
allâmes ❏ allassions ❏ alliassions ❏

16. « Encore eût-il fallu que nous (**tomber, imparfait du subjonctif**) d'accord sur le choix du film », rétorqua Nicole, du tac au tac.

tombâmes ❐ tombassions ❐ tombassâmes ❐

Réponses

1. Vêtons. *Vêtir*, verbe du 3ᵉ groupe, ne se conjugue pas sur le modèle de *finir*, verbe du 2ᵉ groupe (c'est-à-dire que son participe présent ne se termine pas en -*issant*). On écrit donc : je me *vêts*, tu te *vêts*, il se *vêt*, nous nous *vêtons*, vous vous *vêtez*, ils se *vêtent*.

À NOTER : 1. *Dévêtir* et *revêtir* se conjuguent de la même manière. 2. Des auteurs de renom ont conjugué *vêtir* sur le modèle de *finir* et André Gide, qui trouvait « vêtissait » « plus beau et plus expressif » que *vêtait*, se réservait le droit de l'utiliser s'il venait « naturellement » sous sa plume...

2. Acquérons. *Acquérir* est également un verbe irrégulier (3ᵉ groupe). Il se conjugue comme suit au présent de l'indicatif : j'*acquiers*, tu *acquiers*, il *acquiert*, nous *acquérons*, vous *acquérez*, ils *acquièrent*.

À NOTER : *conquérir*, *s'enquérir*, *reconquérir* et *requérir* se conjuguent de la même manière.

3. Conclut. *Conclure*, verbe du 3ᵉ groupe, présente un certain nombre de difficultés. Aux trois premières personnes de l'indicatif, les formes sont identiques au présent et au passé simple : je *conclus*, tu *conclus*, il *conclut*. Par ailleurs, au futur et au conditionnel présent, on écrit je *conclurai*, je *conclurais*, et non pas je « concluerai », je « concluerais » (la faute est très fréquente).

Attention ! Au participe passé, on écrit *conclu*, *conclue* (et non « conclus », « concluse »).

À NOTER : *exclure* et *inclure* se conjuguent de la même manière, mais seul *inclure* prend un *s* final au participe passé. Exemple : *Ce voyagiste est le spécialiste du séjour « tout inclus ».*

4. Demanderiez. Le verbe *demander* (bien que régulier) fait parfois l'objet d'une conjugaison fautive au futur et au conditionnel. Je *demanderai* (et non je « demandrai »). Je *demanderais* (et non je « demandrais »).

5. Moulent. *Moudre* est un verbe du 3ᵉ groupe à la conjugaison délicate. Certains usagers en difficulté n'hésitent pas à offenser la grammaire. Exemple fautif : « Ma femme veut qu'on achète du bon café et qu'on le moud nous-mêmes. » Les formes correctes au présent de l'indicatif sont : je *mouds*, tu *mouds*, il

moud, nous *moulons*, vous *moulez*, ils *moulent*. Au subjonctif :
que je *moule*. Au futur : je *moudrai*. Au passé simple : je *moulus*.
À l'imparfait : je *moulais*.

6. Résout. La conjugaison de ce verbe irrégulier est particulièrement difficile. Au présent de l'indicatif, les formes correctes
sont les suivantes : je *résous*, tu *résous*, il *résout*, nous *résolvons*,
vous *résolvez*, ils *résolvent*. Au subjonctif : que je *résolve*. Au
futur : je *résoudrai*. Au passé simple : je *résolus*. À l'imparfait :
je *résolvais*.
Attention ! Au participe passé : *résolu*.

À NOTER : la conjugaison de *résoudre* est si épineuse qu'un verbe
plus récent, *solutionner*, lui fait désormais une sérieuse concur-
rence ; *solutionner* a l'avantage d'avoir une conjugaison régulière (verbe du 1er groupe), mais l'inconvénient de souffrir d'une
mauvaise réputation auprès de certains grammairiens. Quoi
qu'il en soit, dans une langue soignée, on préférera *résoudre* à
solutionner.

7. Dément. Ce verbe doit se conjuguer comme *mentir* et non
pas s'aligner sur le modèle de *finir*. Je *démens* (et non pas je
« démentis »).

8. Prévit. *Prévoir* se conjugue sur le modèle de *voir*, sauf au
futur simple : je *prévoirai* et au conditionnel : je *prévoirais*.

9. S'assirent. *Asseoir* est un verbe du 3e groupe. Au passé simple, il se conjugue comme suit (forme pronominale) : je m'*assis*,
tu t'*assis*, il s'*assit*, nous nous *assîmes*, vous vous *assîtes*, ils
s'*assirent*.

10. Détruisirent. On hésite parfois sur le passé simple des verbes en -*truire* (*construire*, *détruire*, etc.), notamment à la 3e personne du pluriel.
Exemple : les bombardements détruisirent la ville (et non
« détruirent »).

11. Contredisez. On écrit vous *dites*, mais vous *contredisez*. La
remarque vaut également pour *dédire*, *interdire*, *médire*, *prédire*.

12. Choira ou **cherra.** *Choir* est un verbe « défectif », c'est-
à-dire que certaines formes de conjugaison sont inusitées (*choir*
ne se conjugue qu'à l'indicatif présent, au passé simple et aux
temps composés). Le futur est archaïque et difficile à reconnaître :

« La bonne Mère-grand, qui était dans son lit, à cause qu'elle se trouvait un peu mal, lui cria :
"Tire la chevillette, la bobinette cherra." Le loup tira la chevillette, et la porte s'ouvrit. Il se jeta sur la bonne femme, et la dévora en moins de rien ; car il y avait plus de trois jours qu'il n'avait mangé. » (*Contes*, CHARLES PERRAULT.)

13. Transcrivit.
Attention ! Ne pas confondre les formes du présent et celles du passé simple. Je *transcris* (au présent) mais je *transcrivis* (au passé simple). Ils *transcrivent* mais ils *transcrivirent*.

À NOTER : conjugaison identique pour *circonscrire*, *décrire*, *écrire*, *inscrire*, *récrire*, *prescrire*, *proscrire*, *souscrire*.

14. T'enquisses.
Les verbes en *quérir* (comme *acquérir*, *conquérir*, *reconquérir*, *requérir*, *s'enquérir*) sont d'une conjugaison délicate. À l'imparfait du subjonctif, les formes sont les suivantes : que je m'*enquisse*, que tu t'*enquisses*, qu'il s'*enquît*, que nous nous *enquissions*, que vous vous *enquissiez*, qu'ils s'*enquissent*.

15. Allassions.
Aller se conjugue ainsi à l'imparfait du subjonctif : que j'*allasse*, que tu *allasses*, qu'il *allât*, que nous *allassions*, que vous *allassiez*, qu'ils *allassent*.

16. Tombassions.
Tomber est un verbe régulier. Le conjuguer à l'imparfait du subjonctif ne pose pas de problèmes particuliers, mais on est embarrassé par des formes qui ne nous sont guère familières : que je *tombasse*, que tu *tombasses*, qu'il *tombât*, que nous *tombassions*, que vous *tombassiez*, qu'ils *tombassent*.

À NOTER : dans les années 1920, André Gide évoquait déjà la « faillite du subjonctif ».

« Considérez l'aventure du subjonctif : quand la règle est trop incommode, on passe outre. L'enfant dit : tu voulais *que je vienne*, ou : *que j'aille*, et il a raison. Il sait bien qu'en disant : tu voulais *que je vinsse*, ou, *que j'allasse*, ainsi que son maître, hier encore, le lui enseignait, il va se faire rire au nez de ses camarades, ce qui lui paraît beaucoup plus grave que de commettre un solécisme [...] » (*Incidences*, ANDRÉ GIDE.)

6

Permis de construire

Constructions grammaticales

« Veux-tu toute ta vie offenser la grammaire ? » demande durement Bélise à la pauvre servante Martine, dans *Les Femmes savantes* (MOLIÈRE). Prenez de bonnes résolutions : savoir distinguer un verbe transitif d'un verbe intransitif, utiliser la bonne préposition après un verbe, ne plus hésiter entre *bien que* et *malgré que*... Les dix questions qui suivent vous aideront à suivre ce programme ambitieux.

1. Tout le monde a été surpris d'entendre Simone **déblatérer contre** Gilberte ❐ **déblatérer après** Gilberte ❐ pendant la réunion de famille.

2. La priorité du préfet est de **pallier aux problèmes** ❐ **pallier les problèmes** ❐ d'hébergement des sinistrés.

3. « **Je me rappelle très bien de notre rencontre** » ❐ « **Je me rappelle très bien notre rencontre** » ❐, a confié Simone à Raymond, le soir de ses noces.

4. « Cette question du mariage gay participe avant tout **de la morale et non du droit** ❐ **à la morale et non au droit** ❐ », a affirmé Nicole à l'apéritif, histoire de donner son avis.

5. La présidente du tribunal a **vitupéré** ❐ **vitupéré contre** ❐ les conducteurs avinés qui mettent la vie d'autrui en danger.

6. « Les parents d'élèves sont informés que c'est Mme Triboulet qui **suppléera à** ❐ **suppléera** ❐ Mlle Trochu à partir du mois de mars, le temps pour celle-ci de se remettre de sa dépression. »

7. « La décision de vous retirer votre permis de conduire

ressortit au tribunal ❑ **ressortit du tribunal** ❑ », a annoncé l'avocat à son client.

8. « Faisons une promenade malgré qu'il pleuve. » La construction *malgré que* + subjonctif est-elle correcte ou fautive ?
   a. Elle est très incorrecte et doit être évitée dans tous les cas.
   b. Elle est critiquée par les puristes et est à éviter dans une langue « soignée ».
   c. Elle est parfaitement correcte et s'emploie couramment à la place de *bien que*.

9. « Il n'y a que Sammy et toi qui me **comprennent** ❑ qui me **compreniez** ❑ », a déclaré Kévin à son meilleur ami, Jonathan, très ému.

10. Ni Raymond L. ni Maurice G. **n'a été élu** ❑ **n'ont été élus** ❑ à la présidence du conseil général.

Réponses

1. Déblatérer contre. On *déblatère contre* quelqu'un (ou quelque chose), plus rarement *sur* quelqu'un.

2. Pallier les problèmes. *Pallier* est un verbe transitif direct, c'est-à-dire qu'il se construit directement avec un complément d'objet. Comme terme de médecine, *pallier* a signifié autrefois « atténuer les symptômes sans guérir le mal pour autant » (ce sens est toujours vivant dans le nom *palliatif*). D'où le sens figuré et courant de « remédier provisoirement, atténuer faute de mieux ». Exemples : *pallier un problème, pallier des inconvénients*, etc. La construction fautive *pallier à* est devenue courante par analogie avec *parer à, remédier à*.

3. « Je me rappelle très bien notre rencontre » *Se rappeler* se construit avec un objet direct. On *se rappelle quelqu'un, quelque chose*. C'est par analogie avec *se souvenir de* que la construction *se rappeler de* s'est introduite dans la langue dès le XVIIIe siècle. Cette tournure courante est considérée comme fautive et le bon usage recommande de l'éviter.

4. Participe de la morale et non du droit. *Participer à*, c'est « prendre part à ». On participe à un match, un débat, une émission télévisée, etc. *Participer de* est un synonyme littéraire de *relever de*. Exemple : *cette infraction participe du droit pénal*. Dans « Les Sabines » (nouvelle extraite du *Passe-Muraille*), Marcel Aymé joue avec cette double construction en évoquant l'un de ses personnages, une jeune femme dotée du pouvoir de se multiplier physiquement... et par là même de multiplier ses amants :

« Quoique participant à (et participant de) cette mêlée voluptueuse, multiplicité impudique, fornicante, transpirante, gémissante, et y prenant plaisir [...], quoique donc, Sabine restait inapaisée et l'âme appétente. [...] »

5. Vitupéré. À l'origine, *vitupérer* (« blâmer vivement ») est un verbe transitif direct. Il convient donc d'écrire que l'on *vitupère* quelqu'un ou quelque chose. La construction *vitupérer contre* (par analogie avec *pester contre, protester contre, râler contre*, etc.) s'est introduite dans l'usage mais est à éviter dans une langue soignée.

6. Suppléera. On *supplée* quelqu'un, c'est-à-dire qu'on le remplace (partiellement ou provisoirement) dans ses fonctions. *Suppléer à* quelque chose, c'est remédier à un manque, à une insuffisance. Exemple : *l'efficacité doit suppléer au manque de moyens.*

7. Ressortit à. Dans le vocabulaire juridique, on dit d'une affaire, d'une décision qu'elles *ressortissent à* telle ou telle juridiction. Exemple : *les crimes de sang ressortissent à la cour d'assises.* D'où le sens figuré : « relever de, être relatif à » qui s'emploie dans un registre littéraire. Exemple : *la journaliste a promis à la star de ne rien révéler qui ressortisse à sa vie privée.* Attention ! *Ressortir* se conjugue comme *finir* et non comme *sortir.* Cela *ressortit* et non cela « ressort ».

8. b. Malgré que est une tournure critiquée par les puristes. Mais est-ce vraiment une faute de français ? Quand on se risque à l'employer, on a un peu le sentiment de mettre les doigts dans le pot de confiture sans commettre un bien grand crime pour autant.

Malgré que, dont l'origine est peut-être populaire, apparaît dans certains textes dès le XVIIe siècle. Littré et l'Académie française en condamnent l'emploi sans que leur jugement soit argumenté. Nullement intimidé, André Gide a pris la défense de cette locution maudite : « J'ai écrit avec Proust et Barrès, et ne rougirai pas d'écrire encore : malgré que, estimant que si l'expression était fautive hier, elle a cessé de l'être. » (*Incidences*, André Gide.) Certes, certains grammairiens se rangent à l'avis de l'écrivain, mais reconnaissons-le : *malgré que* égratigne les oreilles sensibles et cette tournure est devenue rare dans le français d'aujourd'hui, « surveillé » ou littéraire. On remplacera avantageusement *malgré que* par d'autres locutions conjonctives, *bien que*, *quoique*, qui se construisent également avec le subjonctif.

9. Il n'y a que Sammy et toi qui me compreniez.
Rappel de la règle : avec le pronom relatif *qui* comme sujet, le verbe s'accorde en nombre et en personne avec l'antécédent du pronom relatif.
Analyse : le pronom relatif *qui* est sujet du verbe *compreniez*. Le verbe s'accorde donc avec l'antécédent de *qui* : *Sammy et toi* = 3^e personne + 2^e personne = 2^e personne du pluriel (*compreniez*).

10. Ni Raymond L. ni Maurice G. n'a été élu.

Cette question porte sur l'accord du verbe avec deux sujets coordonnés par *ni*.

RAPPEL DE LA RÈGLE : si l'on considère que l'action exprimée se rapporte à chaque sujet pris séparément (on dit alors que *ni* a une valeur « disjonctive »), le verbe se met de préférence au singulier (en l'occurrence, une seule personne peut être élue à une présidence). Si l'on estime au contraire que l'action se rapporte aux sujets pris comme un ensemble, le verbe se met de préférence au pluriel.

Exemple avec l'accord au pluriel : *ni le repos ni le médicament n'ont amélioré sa santé.*

7

Des pluriels bien singuliers

Le pluriel des noms et des adjectifs

Un cheval, des chevaux. Et pourquoi pas *des chevals* [1] ? L'orthographe française semble avoir été inventée pour en rendre l'apprentissage bien compliqué. Il y a les pluriels en *-oux* qu'on apprend par cœur à l'école, les mots gourmands qui ont deux pluriels différents, les mots invariables qui ne veulent rien faire comme tout le monde... Au bout du compte, l'occasion idéale de réviser certaines règles qui ont fait vos cauchemars d'écolier.

1. Dans la liste qui suit, rayez les noms au pluriel dont l'orthographe est fautive.
   Un landau, des landaux
   Un boyau, des boyaux
   Un aloyau, des aloyaux
   Un lieu, des lieux (le poisson)

2. Même principe pour les quatre noms qui suivent.
   Un bail, des bails
   Un chandail, des chandails
   Un soupirail, des soupirails
   Un poitrail, des poitrails

3. Les quatre mots qui suivent ont-ils deux pluriels possibles ?
   Rayez les éventuels imposteurs qui n'acceptent qu'un seul pluriel.
   Un festival → des festivals *ou* des festivaux
   Un idéal → des idéals *ou* des idéaux
   Un étal → des étals *ou* des étaux
   Un cal → des cals *ou* des caux

---

1. Sur la formation du pluriel des noms et adjectifs, voir Nathalie Baccus, *Orthographe française*, Librio n° 596.

4. On apprend dès les « petites classes » que sept noms en -*ou* font leur pluriel en -*oux*. Dans la liste suivante, ajoutez la finale qui convient (*s* ou *x*) pour retrouver les sept noms en -*oux*.

Sapajou – bijou – joujou – kangourou – pou – chou – bisou – hibou – filou – chabichou – écrou – papou – matou – caillou – zoulou – genou.

• Certains noms peuvent avoir des pluriels différents selon le contexte. En voici quelques exemples. À vous de trouver la forme qui convient.

5. Au musée, Kévin et Karl, son correspondant allemand, se sont enthousiasmés pour les grands **ciels** ❏ **cieux** ❏ des impressionnistes.

6. « C'est vous qui avez soigné les **yeux-de-perdrix** ❏ **œils-de-perdrix** ❏ de ma belle-mère », a annoncé fièrement Nicole au médecin lors de sa première visite.

7. Tout est question de goût : Raymond aime les chemises **marron** ❏ **marrons** ❏ à col pelle à tarte tandis que Simone affectionne les chemisiers **rose** ❏ **roses** ❏ à motifs.

8. Kévin voit d'un mauvais œil qu'Elodie ne soit pas insensible aux yeux **bleu-vert** ❏ **bleus-verts** ❏ **bleus-vert** ❏ de Karl, son charmant correspondant allemand.

9. Cochez la case qui correspond à l'orthographe correcte de ces noms composés :

a. un chou-fleur

des choux-fleurs ❏
des choux-fleur ❏

b. un timbre-poste

des timbres-poste ❏
des timbres-postes ❏

c. un aller-retour

des aller-retour ❏
des allers-retours ❏

d. un chef-d'œuvre

des chefs-d'œuvres ❏
des chefs-d'œuvre ❏

10. Ne vous arrêtez pas en si bon chemin : voici une seconde liste pour améliorer votre connaissance du pluriel des noms composés.

a. un clair-obscur

des clairs-obscurs ❏
des clair-obscur ❏

b. un coffre-fort

des coffres-fort ☐
des coffres-forts ☐

c. un porte-monnaie

des porte-monnaies ☐
des porte-monnaie ☐

d. un gagne-petit

des gagne-petits ☐
des gagne-petit ☐

e. une Marie-couche-toi-là

des Marie-couche-toi-là ☐
des Maries-couchez-vous-là ☐

11. Pour chacun des mots latins suivants, nous avons indiqué plusieurs pluriels possibles, mais certains d'entre eux sont purement fantaisistes. À vous de les chasser de la liste en les barrant d'un trait.

a. un maximum

des maximums ☐
des maxima ☐
des maximas ☐

b. un erratum

des erratums ☐
des errata ☐
des erratas ☐

c. un minimum

des minimums ☐
des minima ☐
des minimas ☐

12. Voici trois nouveaux mots empruntés à des langues étrangères (italien, allemand, anglais). Là encore, il s'agit d'identifier les pluriels fantaisistes et de les rayer.

a. un scénario

des scenarii ☐
des scénarios ☐
des scenario ☐

b. un leitmotiv

des leitmotives ☐
des leitmotifs ☐
des leitmotive ☐

c. un best-seller

des bests-sellers ☐
des best-seller ☐
des best-sellers ☐

13. Les noms propres sont généralement invariables. Cependant, les noms de personnages illustres peuvent prendre la marque du pluriel dans certains cas. Lesquels ?

a. lorsqu'ils désignent des œuvres d'art (des *Picassos*)
Vrai ☐   Faux ☐

b. lorsque ce sont des noms de grandes dynasties (les *Bour-bons*)
Vrai ❐   Faux ❐

c. lorsque ce sont des noms des grandes familles sous la République (les *Mitterrands*)
Vrai ❐   Faux ❐

14. Dans quel cas faut-il accorder l'adjectif **demi** ?
« Nous ne nous accommoderons pas de **demies-mesures** ❐ **demi-mesures** ❐ **demie-mesures** ❐ en matière d'emploi », ont prévenu les syndicats, très fermes.

15. Grâce à la question *ci-dessous*, vous saurez enfin comment écrire *ci-joint* au pluriel dans vos courriers du type :
« Madame,
Vous trouverez **ci-joint** ❐ **ci-joints** ❐ les documents deman-dés dans votre lettre datée du 13 courant. »

16. « Les cas comme les vôtres sont tout à fait **banals** ❐ **banaux** ❐ », a affirmé le gastro-entérologue à Nicole qui lui a fait l'inventaire de ses troubles digestifs.

Réponses

1. Il fallait rayer **des landaux** et **des lieux**. On écrit *un landau*, *des landaus* ; *un lieu*, *des lieus* (quand il s'agit du poisson).

RAPPEL DE LA RÈGLE : les noms terminés par *-au*, *-eau*, *-eu* font normalement leur pluriel en *-x*, mais certains mots ont un pluriel en *-s* : *des landaus*, *des sarraus*, *des bleus*, *des pneus*, *des émeus*, *des lieus*.

2. Il fallait rayer **des bails** et **des soupirails**. On écrit *des baux*, *des soupiraux*.

RAPPEL DE LA RÈGLE : les noms terminés par *-ail* font normalement leur pluriel en *-ails*. Cependant, onze mots font exception à la règle avec un pluriel en *-aux* : *aspirail, bail, corail, émail, fermail, gemmail, soupirail, travail, vantail, ventail, vitrail*.

3. **Festival** et **cal**. Ces deux substantifs n'admettent qu'un pluriel. On doit écrire des *festivals*, des *cals*.

RAPPEL DE LA RÈGLE : les noms terminés par *-al* font normalement leur pluriel en *-aux* ou en *-als*, mais certains mots font aussi bien leur pluriel en *-aux* qu'en *-als* : on écrit *des étals* ou *des étaux* (le pluriel en *-als* est nettement plus courant dans le français contemporain) ; *des idéals* ou *des idéaux* (le pluriel en *-aux* est plus courant) ; *des vals* ou *des vaux*.

4. On écrit sapajous – **bijoux** – **joujoux** – kangourous – **poux** – **choux** – bisous – **hiboux** – filous – chabichous – écrous – papous – matous – **cailloux** – zoulous – **genoux**.

5. **Ciels.** Quand ce mot désigne la partie d'un tableau ou d'une fresque qui représente un ciel, le pluriel est en *-s*.

À NOTER : le pluriel de *ciel* s'écrit également *ciels* quand il désigne un baldaquin suspendu au-dessus d'un lit (des *ciels de lit*) ; le plafond d'une carrière ; l'aspect du ciel ou le climat (*les ciels étoilés des nuits d'été*) sauf dans l'expression *sous d'autres cieux*.

6. **Œils-de-perdrix.** Un *œil-de-perdrix* est un cor entre les orteils. Le pluriel en *œils* s'emploie notamment dans les noms composés *œils-de-bœuf* (lucarnes), *œils-de-chat* (pierres précieuses), etc.

7. Marron et **roses**. L'adjectif *marron* est invariable tandis que *rose* est variable en nombre.

RAPPEL DE LA RÈGLE : les adjectifs de couleur prennent normalement un -*s* au pluriel, sauf s'il s'agit de noms employés adjectivement. Exemples : *des chemises orange, marron, kaki*, etc.

Attention ! Bien que dérivés d'un nom, certains adjectifs prennent un -*s* au pluriel. Ils sont au nombre de six : *écarlate, fauve, incarnat, mauve, pourpre, rose*.

8. Bleu-vert. L'adjectif composé *bleu-vert* est invariable.

RAPPEL DE LA RÈGLE : les adjectifs de couleur suivis d'un autre adjectif ou d'un nom sont toujours invariables. Exemples : *des cheveux châtain clair, des blousons bleu marine*, etc.

À NOTER : quand l'adjectif désigne une couleur composée (*gris-vert, gris-bleu*, etc.), il est d'usage de mettre un trait d'union entre les deux éléments.

9. a. des choux-fleurs. Les deux éléments prennent la marque du pluriel.

RAPPEL DE LA RÈGLE : dans les composés du type nom + nom, les deux éléments varient s'ils sont apposés. Exemples : *des avocats-conseils, des chefs-lieux*, etc.

b. des timbres-poste. Le deuxième élément est invariable au pluriel, car il faut entendre « timbres pour la poste ».

c. des allers-retours. Les deux éléments sont apposés et sont donc variables au pluriel (même cas que pour **a.**)

d. des chefs-d'œuvre. Seul le premier élément est variable au pluriel.

RAPPEL DE LA RÈGLE : dans les composés du type nom + préposition + nom, c'est généralement le premier élément qui varie au pluriel. Exemples : *des arcs-en-ciel, des cous-de-pied, des crocs-en-jambe*, etc.

10. a. des clairs-obscurs. Les deux éléments sont variables au pluriel.

RAPPEL DE LA RÈGLE : adjectif + adjectif = les deux mots se mettent au pluriel. Exemples : *des sourds-muets, des derniers-nés,* etc.

À NOTER : dans *nouveau-né*, l'adjectif *nouveau* est considéré dans sa valeur adverbiale et est invariable, ce qui contraint à des aberrations, du type *une enfant nouveau-née*. Des écrivain(e)s comme Colette ou Marguerite Yourcenar ont préféré écrire *nouvelle-née*.

b. des coffres-forts. Les deux éléments sont variables au pluriel. Il faut entendre « des coffres qui sont forts ».

RAPPEL DE LA RÈGLE : nom + adjectif (ou adjectif + nom) = les deux mots se mettent généralement au pluriel. Exemples : *des états-majors, des francs-maçons, des basses-cours,* etc.

c. des porte-monnaie. Il faut entendre « qui porte la monnaie ».

RAPPEL DE LA RÈGLE : verbe + nom complément = la forme verbale est toujours invariable. Pour ce qui est du nom complément, il porte un *s* ou non selon le sens.

d. des gagne-petit. Les deux éléments sont invariables au pluriel. On écrit *des gagne-petit, des brise-tout,* etc., parce que le second élément a une valeur adverbiale et qu'il est donc invariable.

e. des Marie-couche-toi-là. Dans ce type de composé en forme de phrase, tous les éléments sont invariables. Exemples : *des m'as-tu-vu, des va-t-en-guerre, des sot-l'y-laisse,* etc.

11. a. Il fallait rayer **des maximas**. *Maximum* a pour pluriel « francisé » (qui a les caractères du français) *maximums* et pour pluriel latin *maxima*.

b. Il fallait rayer **des erratums** et **des erratas**. Le seul pluriel admis est *errata*.

À NOTER : **1.** un *erratum* est une erreur d'impression signalée au lecteur (dans un livre, un journal, etc.). **2.** On dit aussi *un errata* pour désigner une liste d'erreurs.

c. Il fallait rayer **des minimas**. *Minimum* a pour pluriel francisé *minimums* et pour pluriel latin *minima*.

12. a. Il fallait rayer **des scenario**. *Scénario* a pour pluriel courant *scénarios* et pour pluriel savant *scenarii*.

À NOTER : il peut paraître pédant d'utiliser systématiquement le pluriel « recherché » des mots italiens. À ce compte-là, pourquoi ne pas dire *un bravo, des bravi,* à la manière de Théophile Gautier dans *Le Capitaine Fracasse* (cité par Maurice Grevisse) : « Le public éclata en bravi » ?

b. Il fallait rayer **des leitmotifs**. *Leitmotiv* a pour pluriel francisé *leitmotives* et pour pluriel allemand *leitmotive*.

c. Il fallait rayer **des best-seller** et **des bests-sellers**. Le seul pluriel admis est *best-sellers*.

À NOTER : si l'on est allergique aux anglicismes, on peut aussi bien parler de *succès de librairie*.

13. a. Vrai. Les œuvres d'art désignées par le nom de leur créateur peuvent prendre la marque du pluriel (l'accord n'est pas de règle, mais il est possible). Exemples : *il collectionne les Matisses. Cet été, il a lu trois Zolas et deux Maupassants.*

b. Vrai. Les noms des grandes familles dynastiques prennent traditionnellement la marque du pluriel. Exemples : *les Bourbons, les Capets, les Capulets, les Montaigus.*

c. Faux. L'usage indiqué ci-dessus n'est pas valable pour les personnages contemporains.

14. Demi-mesures. L'adjectif *demi* est invariable en nombre (et en genre) quand il précède le nom auquel il est rattaché par un trait d'union. Exemples : *deux demi-baguettes, des demi-cercles, des demi-vierges,* etc.

À NOTER : les adjectifs *mi, semi* et *nu* obéissent à la même règle. Exemples : *ils sont nu-pieds, les yeux mi-clos,* etc.

15. Ci-joint. Les participes *ci-joint* et *ci-inclus* ont une valeur invariable quand ils sont placés avant le nom et son déterminant. Lorsqu'ils sont placés après le nom, ils prennent une valeur d'adjectif et l'on fait logiquement l'accord. Exemple : *les formulaires ci-joints doivent être dûment remplis.*

16. Banals. Les hésitations sur le pluriel de *banal* sont fréquentes. Des cas *banals* sont des cas communs, ordinaires... *Banaux* s'emploie dans un contexte médiéval. Les *fours banaux*, les *moulins banaux* n'étaient utilisables que moyennant le paiement d'une redevance au seigneur.

8

La loi du nombre

Les nombres en toutes lettres

Écrire un nombre en toutes lettres n'est pas toujours facile. Le doute vient s'ajouter à la douleur quand il nous faut rédiger le montant d'un chèque. Dans quels cas faut-il un *s* à cent ? Et à mille ? Où mettre le trait d'union dans un nombre complexe ? Grâce aux huit questions qui suivent, vous allez réviser les règles principales sur l'orthographe des nombres... et faire l'admiration de votre banquier.

• Voici l'ouverture d'un récit d'Henry de Montherlant, *La Petite Infante de Castille*. Nous avons composé par erreur en chiffres le nombre qui y figure. À vous de l'écrire en toutes lettres, conformément au texte d'origine.

1. « Barcelone est une ville de **600 200** âmes, et elle n'a qu'un urinoir. On devine si à certaines heures il a charge d'âme. Mais je sens qu'il vaut mieux commencer d'une autre façon mon récit. »

   600 200 : ....

• À présent, transcrivez en toutes lettres les nombres contenus dans les phrases suivantes :

2. Nicole et Jacques ont acheté une fermette restaurée dans un petit village du Perche qui compte trente habitants la semaine et **200** le week-end.

   200 : ....

3. Le nouveau roman de Marc Roquevert compte **640** pages et est vendu au prix modique de 15,99 euros. La critique, unanime, a salué cette belle performance.

   640 : ....

4. Dans l'émission « Les Jeudis littéraires », sur France Culture, Marc Roquevert a lu à l'antenne la page **200** de son roman.

200 : ....

5. **82** exemplaires du roman de Marc Roquevert ont été vendus après la diffusion de l'émission. « Nous sommes en rupture de stock », a déclaré la responsable de la librairie Les Feuillets d'Hypnos, à Aix-en-Provence.

82 : ....

6. La dernière émission de « Star à tout prix » n'a réuni que **4 300 000** téléspectateurs, causant une vive déception aux responsables de la chaîne.

4 300 000 : ....

• Pour finir, cochez la case qui correspond à la bonne orthographe dans les phrases suivantes :

7. Grâce à son excellente programmation musicale (et son humour), l'animateur a réussi à faire danser les **cent vingt trois invités** ❑ **cent vingt-trois invités** ❑ **cent-vingt-trois invités** ❑ du mariage.

8. Pour l'animation du mariage de Simone et Raymond, la société Diamant a proposé un rabais de **dix pour cent** ❑ **dix pour cents** ❑ par rapport aux tarifs habituels.

Réponses

1. Six cent mille deux cents. Vous avez fait une faute ? davantage ? Alors, lisez attentivement les réponses ci-dessous qui récapitulent les règles concernant l'orthographe des adjectifs numéraux. Les bons élèves se contenteront de réviser.

2. Deux cents. Commencez par retenir cette règle simple : *cent* est invariable sauf s'il est multiplié par un autre nombre. On écrira donc : *cent* pages, mais *deux cents* pages.

À NOTER : dans l'expression *des mille et des cents*, cent est employé comme nom et prend la marque du pluriel.

3. Six cent quarante. Complétons la règle énoncée ci-dessus : *cent* est invariable sauf s'il est multiplié par un autre nombre et à condition de n'être suivi d'aucun autre adjectif numéral. On écrira donc : *deux cents* personnes, mais *deux cent trente* personnes.

4. Deux cent. Si vous avez mis un *s* à cent, cela prouve au moins que vous connaissiez la règle énoncée ci-dessus. Il vous reste donc à distinguer un adjectif numéral « cardinal » (qui indique une quantité) d'un adjectif numéral « ordinal » (qui indique un ordre, un rang). *Cent* est toujours invariable lorsqu'il a une valeur ordinale. Exemple : *Charlemagne a été couronné empereur en l'an huit cent.*

5. Quatre-vingt-deux. Si vous avez bien compris la règle sur l'orthographe de *cent*, vous retiendrez facilement la règle sur l'orthographe de *vingt* : c'est la même. *Vingt* est invariable, sauf s'il est multiplié par un autre nombre, et à condition de n'être suivi d'aucun autre adjectif numéral. Il convient donc d'écrire : *vingt* personnes, *quatre-vingts* personnes, *quatre-vingt-trois* personnes.

6. Quatre millions trois cent mille. *Million* est un nom (comme *millier* ou *milliard*). Il prend donc normalement la marque du pluriel, contrairement à *mille*, adjectif numéral toujours invariable. On écrit *mille*, *deux mille*, etc.

À NOTER : *mille* peut aussi s'orthographier *mil* dans les dates, mais cette graphie est vieillie. Exemples : *l'an mil, l'an mil quatre cent.*

7. Cent vingt-trois invités. Les formes complexes des adjectifs numéraux ne prennent de trait d'union qu'entre les dizaines et les unités. Exemples : *vingt-trois ans, cinquante-six ans, quatre-vingts ans*, etc.

À NOTER : c'est une faute très commune que de mettre un trait d'union dans les formes complexes construites avec la conjonction *et*. On écrit sans trait d'union *vingt et un, trente et un*, etc.

8. Dix pour cent. *Cent* n'est ici multiplié par aucun nombre, il est donc invariable.

9

Invasions barbares

Les mots déformés et les impropriétés

« Attrapez la mère Ubu, coupez les oneilles. » (*Ubu roi*, ALFRED JARRY.)

Si vous prononcez *oneilles*, comme le père Ubu, *prossénétisme* ou *hormossessualité* comme la petite Zazie (*Zazie dans le métro*, RAYMOND QUENEAU), vous commettez des *barbarismes*. Le barbarisme est une « façon de parler incorrecte et vicieuse », comme on dit à l'Académie (qui ne plaisante guère avec le sujet). Vous trouverez quelques exemples de barbarismes dans le jeu qui suit : mots déformés, impropriétés, anglicismes gratinés... En digne défenseur de la langue française, vous les traquerez sans merci.

1. Le Très-Saint-Père a **commémoré** ❐ **célébré** ❐ à Lourdes le cent cinquantenaire du dogme de l'Immaculée Conception.

2. Des **aéropages** ❐ **aréopages** ❐ de théologiens catholiques et protestants débattent toujours du dogme de l'Immaculée Conception. Un accord est en vue.

3. Marc Roquevert a reçu le prix des Librairies de qualité pour le quatrième volet de sa **quadralogie** ❐ **quadrilogie** ❐ **tétralogie** ❐ *Petites Douleurs exquises*.

4. Le féminin de *malin* s'écrit :
   a. maline
   b. maligne

5. Quel est l'adjectif qui ne doit pas être employé au sens d'*important* ?
   a. conséquent
   b. considérable

6. Quelle est la forme correcte ?
   a. confusant
   b. confusionnant
   c. ni l'une ni l'autre

7. Monique est soulagée de savoir sa mère désormais à l'abri de tout problème **pécunier** ❐ **pécunière** ❐ **pécuniaire** ❐.

8. Deux des quatre propositions suivantes sont considérées comme incorrectes. Lesquelles ?
   a. La nouvelle a été avérée
   b. La nouvelle s'est avérée vraie
   c. La nouvelle s'est avérée fausse
   d. La nouvelle s'est révélée vraie

9. « Arrêtez vos **disgressions** ❐, vos **digressions** ❐, vous ne répondez pas à ma question », a lancé le député au ministre en pleine séance à l'Assemblée.

10. « Grâce à mon gastro-entérologue, j'ai **recouvert la santé** ❐ **recouvré la santé** ❐ », se félicite Nicole qui ne souffre plus de reflux gastro-œsophagiens.

11. « Sauriez-vous me dire si mon nouveau roman sera dans la liste des best-sellers ? » s'est enquis Marc Roquevert auprès de la célèbre **cartomancienne** ❐ **cartemancienne** ❐.

12. « **Vous n'êtes pas sans ignorer** ❐ **Vous n'êtes pas sans savoir** ❐ que je sais tout. Votre roman sera classé sixième en troisième semaine », a déclaré tranquillement la devine-resse.

13. « Les dons faits à l'Association des ex-ministres ne sont pas **déduisibles** ❐ **déductibles** ❐ des impôts », a prévenu la présidente dans sa *newsletter* mensuelle.

14. « Vous me faites remonter à des temps **antidiluviens** ❐ **antédiluviens** ❐ **antédéluviens** ❐ », proteste Simone auprès de ses petits-enfants qui lui réclament des anecdotes de jeunesse.

15. Une seule formulation est correcte du point de vue du sens. Laquelle ?
    a. Madame Bovary est l'héroïne *éponyme* du roman de Gustave Flaubert.
    b. Madame Bovary est l'héroïne du roman *éponyme* de Gustave Flaubert.

16. « Je suis un peuple **oppressé** ❐ **opprimé** ❐ », se lamente Kévin, victime de harcèlement scolaire.

17. Nicole a lu dans *L'Express* que l'époque où les gens étaient **omnubilés** ❐ **obnubilés** ❐ par la réussite professionnelle était révolue.

18. « STAGE NON RÉMUNÉRÉ ❐ STAGE NON RÉNUMÉRÉ ❐ – PAS DE TICKETS RESTAURANT – PAS D'INDEMNITÉS KILOMÉTRIQUES. SI VOUS ÊTES TRÈS MOTIVÉ, ÉCRIVEZ À LA MAIRIE. »

Réponses

1. Célébrer. *Commémorer* (du latin *commemorare*, « rappeler, évoquer »), c'est remettre en mémoire un événement par une cérémonie, des festivités, etc. On *commémore* une naissance, une mort, un mariage... mais on ne *commémore* pas un anniversaire, un centenaire ni même un cent cinquantenaire, on le *célèbre* ou on le *fête*.

2. Aréopage. Un *aréopage* est une assemblée de personnes particulièrement savantes et compétentes dans un domaine. Par confusion, le mot est parfois prononcé ou écrit « aéropage », barbarisme dû à l'attraction de l'élément grec *aéro*, présent dans de nombreux mots (*aéronautique*, *aéroport*, etc.).
À NOTER : l'*Aréopage* était le tribunal qui siégeait dans l'ancienne Athènes, sur la colline consacrée à Arès, dieu de la Guerre. Il jugeait du beau monde : incendiaires, empoisonneurs, assassins...

3. Tétralogie. L'élément grec *tétra*, « quatre », sert à former différents mots en français : *tétrapode*, *tétraplégie*, etc. Dans la Grèce antique, une *tétralogie* était un ensemble de quatre pièces que les poètes présentaient à des concours dramatiques. Dans le courant du XIXᵉ siècle, le mot s'est mis à désigner tout ensemble de quatre œuvres (musicales, littéraires, etc.). *Tétralogie* reste aujourd'hui un terme suffisamment méconnu pour que l'usage courant lui substitue volontiers le barbarisme « quadrilogie ». Bien que ce mot soit absent des dictionnaires, on peine à le qualifier de « barbare » tant son allure est policée. Emprunté au latin, *quadri* signifie en effet « quatre », élément qui sert à former des mots irréprochables comme *quadrilatère*, *quadriphonie*, etc. Cependant, quelles que soient ses bonnes manières, *quadrilogie* n'a pas le caractère officiel de *tétralogie* ni ses lettres de noblesse.

4. b. *Malin* a pour féminin *maligne* (de même que *bénin* a pour féminin *bénigne*).
À NOTER : en français, une majorité d'adjectifs font leur féminin par la simple adjonction d'un *e* final (*joli → jolie*), mais cet ajout s'accompagne parfois d'autres phénomènes : redoublement de la consonne finale (*paysan → paysanne*), addition d'une consonne (*rigolo → rigolote*), changement de la consonne finale

(*naïf* → *naïve*). Le féminin *maligne* relève de ce dernier cas, concurrencé à l'oral par *maline* (d'origine populaire)[1].

5. a. *Conséquent*, mot attesté au XIVᵉ siècle, signifie « qui agit de manière logique, cohérente ». Dans le cas contraire, on est *inconséquent*. Depuis le XVIIIᵉ siècle, le mot est aussi employé au sens d'« important, considérable ». Dans son *Dictionnaire de la langue française* (1873), Littré s'alarme de cet emploi abusif : « *Conséquent* pour *considérable* est un barbarisme que beaucoup de gens commettent et contre lequel il faut mettre en garde. » On peut en effet juger ce glissement de sens gênant par les ambiguïtés qu'il introduit. Quand un journal évoque le « parcours conséquent d'un cinéaste », on hésite s'il faut comprendre que ce parcours frappe par sa cohérence ou si c'est son importance qui force le respect... Aussi, dans une langue soignée et précise, vaut-il mieux conserver à *conséquent* son sens d'origine.

6. c. « Confusant » et « confusionnant » sont tous deux incorrects. « Confusant » est un mot apprécié dans certains milieux (communication, marketing...). Exemple (à ne pas forcément suivre) : « Le packaging du produit a été jugé confusant en tests consommateurs. » Ignoré de tous les dictionnaires, « confusant » est emprunté à l'anglais *confusing*. Son petit frère « confusionnant » est plus rare. Il est lui aussi absent des dictionnaires, où l'on trouve néanmoins *confusionner*, « remplir de honte, de confusion » (apparu au XIXᵉ siècle et rapidement disparu), et *confusionnel*, « qui a trait à la confusion mentale ».

7. Pécuniaire. Du latin *pecunia*, « argent », *pécuniaire* signifie « relatif à l'argent » (registre soutenu). Exemple : *avoir des soucis pécuniaires*. On reconnaît le suffixe *-aire* qui a servi à former d'autres mots comme *humanitaire*, *ordinaire*, *propriétaire*, etc. Par une probable analogie avec des formes comme *rancunier*, *rancunière*, on entend et on lit « pécunier », qui est un barbarisme.

8. b et **c.** Du latin *verus*, « vrai », *s'avérer* a d'abord signifié « apparaître comme vrai, être confirmé ». Dans ce sens, une phrase comme *La nouvelle s'est avérée* est parfaitement correcte... mais ne correspond pas à l'usage actuel. De nos jours,

---

1. Sur la formation du féminin des noms et adjectifs, voir Nathalie Baccus, *Orthographe française*, Librio nᵒ 596.

s'avérer a un sens proche de « apparaître comme, se révéler » et est toujours suivi d'un attribut. Exemple : *les chiffres de la croissance se sont avérés meilleurs que prévu*. Malgré cette évolution sémantique, la valeur étymologique du mot est encore perçue... du moins par les oreilles sensibles. Autrement dit, *vrai* « s'entend » toujours dans le mot *avérer*, d'où le discrédit très vif dans lequel se trouvent « s'avérer faux » et « s'avérer vrai ». Nos académiciens, sabres au clair, n'hésitent pas à qualifier « s'avérer faux » de « non-sens ». Quant à « s'avérer vrai », certains lui trouvent toutes les apparences d'un pléonasme. On l'aura compris, *s'avérer* est d'un maniement délicat. En cas d'hésitation, on peut recourir à *se révéler*. Exemple : *la nouvelle s'est révélée vraie*... ou *fausse*.

À NOTER : le participe passé, *avéré*, est d'un emploi courant... et sans danger. Exemple : *des faits avérés* (c'est-à-dire reconnus comme vrais, certains).

9. Digressions. Le mot est issu du latin *digredi*, « s'écarter de son chemin ». On fait une *digression* quand on s'éloigne du sujet (dans une discussion, un débat). Est-ce par analogie avec des mots formés à partir du préfixe latin *dis* (*discontinu*, *disparité*, etc.) ? Toujours est-il que le barbarisme « disgression » se porte comme un charme...

10. Recouvré. Du latin *recuperare*, *recouvrer* signifie « rentrer en possession de ce qu'on avait perdu ». On *recouvre* la santé, la vue, l'odorat, mais aussi son bien, son argent, etc. Le percepteur, lui, *recouvre* invariablement l'impôt, c'est-à-dire qu'il le perçoit. Le verbe appartient au registre soutenu.
Recouvrir a deux acceptions courantes : « couvrir de nouveau » (*recouvrir un livre*) ou « couvrir entièrement » (*recouvrir les murs de peinture*).
Attention ! Les deux verbes ont certaines formes de conjugaison communes (notamment au présent et à l'imparfait de l'indicatif), mais des participes passés différents : j'ai *recouvré* (de *recouvrer*) mais j'ai *recouvert* (de *recouvrir*).

11. Cartomancienne. De *carte* et de *mancie* (du grec *manteia*, « divination »), la *cartomancie* est la divination par l'interprétation des cartes. L'Académie française s'est d'abord montrée réservée sur cet art divinatoire : « Prétendue divination qu'on obtient en tirant des cartes. » (*Dictionnaire de l'Académie*, 8ᵉ édition, 1935), mais toute trace de scepticisme a disparu de la nouvelle édition : « Prédiction de l'avenir par l'interprétation des cartes » (9ᵉ édition).

À NOTER : on parle souvent de *cartomancienne*, mais rien n'interdit aux *cartomanciens* d'exercer leur don :

« — J'ai trouvé un emploi chez une cartomancienne, dit Valentin.

— Qu'est-ce que tu racontes, dit Chantal incrédule.

Julia s'esclaffa.

— C'est une cartomancienne qui a trop de clients, dit Valentin, alors elle m'en refile une partie.

— Ça ne tient pas debout, dit Chantal. Les hommes ne lisent jamais dans les cartes.

— Je serai habillé en femme, dit Valentin. »

(*Le Dimanche de la vie*, RAYMOND QUENEAU.)

12. Vous n'êtes pas sans savoir. De nombreux usagers emploient par contresens « vous n'êtes pas sans ignorer », voulant dire au contraire *vous savez*. Il est vrai que la double négation *n'être pas sans savoir* (= savoir) prête facilement à confusion. Pour éviter cette tournure alambiquée, il existe bien d'autres manières de dire : *Vous n'ignorez pas que... Vous savez sans doute que...* etc.

13. Déductibles. On rencontre parfois ce barbarisme dans des écrits littéraires, scientifiques, etc., au sens de « tiré comme conséquence logique ». Exemple fautif : « La fin du roman est déduisible dès les premières pages. » Seul *déductible* est connu des dictionnaires, et uniquement dans un contexte financier. Exemple : *le montant de cette donation est déductible des impôts*.

14. Antédiluviens. Le mot est formé à partir de l'élément latin *ante*, « avant », et de *diluvien*, « qui a trait au déluge ». Est *antédiluvien* ce qui a eu lieu avant le déluge. Le *déluge* étant situé par la Genèse au début de l'humanité, l'ère *antédiluvienne* se perd dans la nuit des temps... Par confusion avec les nombreux mots formés sur *anti* (*anticonstitutionnel*, *antihéros*, etc.), on entend (et on lit parfois) « antidiluvien », « antidéluvien », « antédéluvien ».

15. a. Du grec *epi*, « sur », et *onoma*, « nom », *éponyme* signifie « qui donne son nom à ». Les nombreux personnages littéraires qui ont donné leur nom à un roman sont donc des héros *éponymes*. Par méconnaissance de l'acception exacte d'*éponyme*, le mot est de plus en plus employé au sens de « qui porte le même nom ». Exemple fautif : « Le film *Orange mécanique* a été adapté du roman éponyme d'Antony Burgess. »

16. Opprimé. Est *opprimé* celui qui est victime d'un excès d'autorité, qui est persécuté. Est *oppressé* celui qui ressent un poids sur la poitrine, qui respire difficilement.

Que l'on soit *opprimé* ou *oppressé*, on subit une *oppression*, d'où la confusion fréquente sur l'emploi de l'adjectif, y compris dans les milieux « cultivés ».

À NOTER : *oppresser* a d'abord été synonyme d'*opprimer*. « Les bons Princes n'oppressent point leurs sujets », déclare avec sagesse le *Dictionnaire de l'Académie française* (1694). Mais à partir du XVIIᵉ siècle, un autre sens s'impose, « gêner la respiration », au point de supprimer peu à peu le sens primitif.

17. Obnubilés. L'étymologie de ce mot aide à mieux retenir sa signification. *Obnubiler* vient du latin *obnubilare*, « couvrir de nuages ». Quand on est *obnubilé* par quelque chose ou par quelqu'un, on a l'esprit brouillé, comme obscurci par les nuages. Dans le langage courant, *obnubiler* signifie tout simplement « obséder ». Exemple : *il est obnubilé par la peur de l'échec*. *Obnubilé* est souvent déformé à l'oral en « omnubilé », peut-être par attraction de mots comme *omniprésent*, *omnivore*, etc.

18. Rémunéré. Ce mot est un « classique » du barbarisme. Nullement réservé à l'oral, « rénuméré » obtient un très vif succès dans toutes sortes de documents administratifs, de petites annonces, de publicités, etc. Du latin *remunerare*, *rémunérer* n'a aucun lien avec des mots comme *numéro* ou *numéraire* qui influencent sans doute les locuteurs.

10

L'important, c'est de participer

Les participes passés

« En toute la grammaire française, il n'y a rien de plus important, ni de plus ignoré », faisait observer Vaugelas au XVIIe siècle. Les règles d'accord du participe passé sont « raffinées » pour les uns, « complexes » pour les autres, un casse-tête pour tout le monde. Les grammairiens eux-mêmes semblent parfois perdre le fil de leurs savantes explications... Aussi le lecteur est-il pardonné à l'avance des piètres résultats qu'il pourrait obtenir à ce jeu. Avec les participes, *l'important c'est de participer*.

1. Dans ce passage de *Poil de Carotte*, nous avons « oublié » de composer un mot, participe passé d'*excepter*. À vous d'écrire ce mot avec l'orthographe qui convient.
   [Poil de Carotte s'exclame :]
   « "Personne ne m'aimera jamais, moi."
   Au même instant, Mme Lepic, qui n'est pas sourde, se dresse derrière le mur, un sourire aux lèvres, terrible.
   Et Poil de Carotte ajoute, éperdu :
   "................. maman." » (*Poil de Carotte*, JULES RENARD.)

2. « Dire que je les ai **cru** ❑ **crues** ❑, ces publicités sur la thalasso anti-peau d'orange », regrette Nicole.

3. « Tu as fait les soins que tu as **cru** ❑ **crus** ❑ devoir faire pour remodeler ta silhouette », intervient Jacques, son mari, très philosophe.

4. « Vous avez déformé la superbe déclaration que j'ai **fait** ❑ **faite** ❑ », a reproché le ministre à la journaliste, confuse.

5. « Je les ai **vu** s'embrasser ! ❑ Je les ai **vus** s'embrasser ! ❑ »,

crie à tue-tête le petit Dylan qui a surpris son frère et Élodie tendrement enlacés.

6. « Cette interview a été plus difficile que je ne l'avais **pensé** ❐ **pensée** ❐ », a confié le ministre à son conseiller en communication.

7. « Pourtant, des interviews, j'en ai **fait** ❐ **faites** ❐ beaucoup dans ma vie », reconnaît, amer, l'infortuné ministre.

8. « **Je l'ai échappé belle** » ❐, « **Je l'ai échappée belle** » ❐, se dit Kévin qui a failli être interrogé en français sur le lyrisme élégiaque chez Apollinaire.

9. Le ministre et les membres de son cabinet se sont **réuni** ❐ **réunis** ❐ pour gérer la situation de crise.

10. Le ministre et son principal conseiller se sont longuement **parlé** ❐ **parlés** ❐ sans que rien n'ait filtré de leur entretien. Finalement, c'est le conseiller qui a démissionné.

11. « Je me suis **refait** ❐ **refaite** ❐ une santé en thalasso à La Baule », a confié Nicole à son père au téléphone.

12. Les bains de boue que Nicole s'est **offert** ❐ **offerts** ❐ **offerte** ❐ à La Baule devaient lui faire perdre sa « peau d'orange ».

13. La célèbre voyante s'est **vu notifier** ❐ **vue notifier** ❐ sa mise en examen pour publicité mensongère et escroquerie.

14. « Je me suis **fait avoir** ❐ **faite avoir** ❐ par un homme d'affaires véreux que je n'ai pas vu venir », aurait déclaré la voyante au juge d'instruction.

15. Les personnes qui ont porté plainte se sont **rendu compte** ❐ **rendues compte** ❐ que les numéros magiques ne permettaient pas de gagner au Loto.

16. « Mes clients **se sont laissé berner** ❐ **se sont laissés berner** ❐ par la promesse de gagner beaucoup d'argent grâce aux numéros magiques », a déclaré leur avocat.

17. Les trois cents mètres qu'il a **couru** ❐ **courus** ❐ pendant le cours d'éducation physique ont mis Kévin sur les genoux.

18. « Mes jeunes années **se sont enfui** ❐ **se sont enfuies** ❐ », constate Nicole qui s'examine sans concession devant la glace.

Réponses[1]

1. « **Excepté** maman. »
- Placé devant un nom, le participe passé *excepté* est employé comme préposition et est invariable.
- Placé après un nom, *excepté* s'accorde. Exemple : *tout le monde aura du dessert, Garance exceptée.*

RAPPEL DE LA RÈGLE : les participes passés *attendu, vu, excepté, étant donné, passé, mis à part, y compris* placés devant le nom sont employés comme prépositions et restent invariables. Attention ! L'accord est toléré pour *étant donné, passé, mis à part*.

2. Dire que je les ai **crues**, ces publicités.

ANALYSE : le COD (= *les*, mis pour *ces publicités*) est placé avant le participe passé qui s'accorde donc avec le COD.

RAPPEL DE LA RÈGLE :
- Le participe passé employé avec l'auxiliaire avoir s'accorde en genre et en nombre avec le complément d'objet direct (COD) si le COD est placé avant le participe.
- Si le COD est placé après le participe ou s'il n'y a pas de COD, le participe passé reste invariable. Exemple : *le ministre a fait une déclaration fracassante.*

3. Tu as fait les soins que tu as **cru** devoir faire.

ANALYSE : tu as cru quoi ? *Devoir faire*. Le COD est placé après le participe, donc il n'y a pas d'accord.
Attention ! Ne pas prendre *les soins* pour le COD (ce ne sont pas les soins qui sont crus).

RAPPEL DE LA RÈGLE : les participes passés *dit, dû, cru, pensé, permis, prévu, pu, su* et *voulu* restent invariables quand ils ont pour COD un infinitif ou une proposition (qui peuvent être sous-entendus). Exemple : *il a fait tous les efforts qu'il a **pu** pour améliorer ses résultats.* L'infinitif est sous-entendu (*pu faire*).
Attention ! Ne pas prendre *efforts* pour le COD du participe passé *pu*.

4. Vous avez déformé la superbe déclaration que j'ai **faite**.

ANALYSE : j'ai fait quoi ? *Que*, dont l'antécédent est *déclaration*. Le COD est placé avant le participe passé, donc on fait l'accord.

---

1. Pour une récapitulation complète des règles d'accord du participe passé, voir Nathalie Baccus, *Orthographe française*, Librio n° 596.

5. Je les ai **vus** s'embrasser.

Analyse : le COD *les* (= *Son frère et Élodie*) fait l'action exprimée par l'infinitif (*embrasser*), donc il y a accord.

Rappel de la règle :

• Le participe passé employé avec l'auxiliaire avoir et suivi d'un infinitif ne s'accorde avec le COD que si celui-ci fait l'action exprimée par l'infinitif.
  Exemple : *les musiciens que j'ai entendus jouer ont interprété du Michel Legrand.* Qu'est-ce que j'ai entendu ? *Que = les musiciens.* Le COD fait l'action exprimée par l'infinitif (*jouer*), donc il y a accord.

• Si le COD ne fait pas l'action, il n'y pas d'accord.
  Exemple : *les airs que j'ai entendu* jouer par le pianiste étaient du Michel Legrand. Le COD (*que = les airs*) ne fait pas l'action.

6. Cette interview a été plus difficile que je ne l'avais **pensé**.

Analyse : le COD *l'* est bien placé avant le participe passé, mais le pronom *l'* (forme élidée de *le*) signifie ici « cela ». Qu'est-ce que le ministre a pensé ? Pas l'*interview*, mais « cela » (que cette interview ne serait pas aussi difficile). Dans ce cas précis, on ne fait pas l'accord, car on n'accorde qu'avec un nom ou un pronom, pas avec une proposition.

7. Pourtant, des interviews, j'en ai **fait** beaucoup dans ma vie.

Rappel de la règle : le participe passé employé avec *en* est invariable. Bien que dans notre exemple le pronom *en* représente un nom au pluriel (*interviews*), il convient de laisser le participe invariable si l'on suit strictement la règle.

8. Je l'ai **échappé** belle.
Dans cette expression figée, le participe passé est toujours invariable.

9. Les membres du cabinet se sont **réunis**.

Analyse : Les membres du cabinet ont réuni qui ? *Se* (pronom réfléchi) = *les membres du cabinet.* Le COD est placé avant le participe passé, donc on fait l'accord.

Rappel de la règle : le participe passé d'un verbe pronominal de sens réfléchi ou réciproque s'accorde en genre et en nombre avec le COD, si le COD est placé avant le participe.

10. Ils se sont longuement **parlé**.

Analyse : ils se sont parlé = ils ont parlé l'un *à* l'autre. Le pronom réfléchi *se* n'est pas ici COD mais COI (complément d'objet indirect). Donc, on ne fait pas l'accord.

À NOTER : d'autres participes passés de verbes pronominaux comme *se mentir, se nuire, se plaire, se sourire, se succéder, se téléphoner* sont invariables puisque le pronom *se* n'est pas COD mais COI. Exemple : *les mauvaises nouvelle se sont succédé toute la journée.*

11. Je me suis **refait** une santé.

ANALYSE : le COD (= *une santé*) est placé après le participe passé qui reste donc invariable.

RAPPEL DE LA RÈGLE : le participe passé d'un verbe pronominal de sens réfléchi ne s'accorde pas avec le COD si celui-ci est placé après le participe. Exemple : *Garance s'est cassé la jambe.* Garance a cassé quoi ? *La jambe.* Le COD est placé après le participe passé, donc il n'y a pas d'accord.
Attention ! Les fautes d'accord sur ce cas sont très fréquentes.

12. Les bains de boue qu'elle s'est **offerts.**

ANALYSE : le COD (= *que* dont l'antécédent est *bains de boue*) est placé avant le participe passé qui s'accorde donc avec le COD. La tentation est grande d'écrire *qu'elle s'est offerte,* mais *s'* signifie ici *à soi.* Il est complément d'objet second (COS), pas COD.

13. La célèbre voyante s'est **vu** notifier sa mise en examen.

RAPPEL DE LA RÈGLE :
• Le participe passé d'un verbe pronominal suivi d'un infinitif ne s'accorde avec le COD que si celui-ci fait l'action exprimée par l'infinitif. Exemple : *elle s'est vue mourir. S'* est COD (= *elle*). C'est elle qui meurt, donc il y a accord.
• Si le COD ne fait pas l'action exprimée par l'infinitif, le participe passé reste invariable. Exemple : *elle s'est entendu appeler.* Ce n'est pas elle qui appelle, c'est elle qui est appelée. Donc, on ne fait pas l'accord.

14. Je me suis **fait avoir.**
Le participe passé de *se faire* suivi de l'infinitif est toujours invariable. Exemple : *les enfants se sont fait morigéner par la voisine.*

15. Les personnes qui ont porté plainte se sont **rendu compte** que les numéros magiques ne permettaient pas de gagner au Loto.

RAPPEL DE LA RÈGLE : le participe passé de *se rendre compte* est toujours invariable.

ANALYSE : Qu'est-ce qui est rendu ? *compte. Se* (= à soi) n'est pas ici COD mais COS (complément d'objet second), donc il n'y a pas d'accord.

16. Mes clients se sont **laissé** berner par la promesse de gagner beaucoup d'argent.

ANALYSE : le COD *se* (= *mes clients*) ne fait pas l'action exprimée par l'infinitif (*berner*). Ce ne sont pas les clients qui bernent, ce sont eux qui sont bernés.

RAPPEL DE LA RÈGLE : le participe passé de *se laisser* ne s'accorde avec le COD que si celui-ci fait l'action exprimée par l'infinitif. Exemple : *elle s'est laissée mourir*. Le COD *s'*, mis pour *elle*, fait l'action. Donc, il y a accord. Si le COD ne fait pas l'action, le participe reste en principe invariable.

17. Les trois cents mètres qu'il a **couru**.

RAPPEL DE LA RÈGLE : le participe passé employé avec l'auxiliaire avoir ne s'accorde que si le verbe est transitif, c'est-à-dire s'il admet un complément d'objet. Si le verbe est intransitif, le participe passé reste invariable.

ANALYSE : *courir* est un verbe intransitif, donc le participe ne s'accorde pas. *Trois cents mètres* n'est pas ici COD mais complément circonstanciel de mesure de *couru*. Autres exemples de verbes intransitifs dont le participe passé est invariable : *coûter, dormir, marcher, régner, valoir, vivre,* etc.

À NOTER : certains verbes intransitifs peuvent être transitifs dans des cas particuliers. Exemple : *il n'a pas pris conscience des risques qu'il a courus*. Dans cet emploi, *courir* est transitif, donc on fait l'accord avec le COD.

18. Mes jeunes années se sont **enfuies**.

RAPPEL DE LA RÈGLE : le participe passé des verbes dits « essentiellement pronominaux » (c'est-à-dire qui ne s'emploient qu'avec le pronom *se*) s'accorde en genre et en nombre avec le sujet.

À NOTER : *arroger*, bien que verbe essentiellement pronominal, a un participe passé qui s'accorde en genre et en nombre avec le COD. Exemple : *les droits que Julien s'est arrogés*. On fait ici l'accord avec le COD (= *que*, mis pour *droits*).

"
Un peu d'élégance !

Les mots recherchés

« La conversation de Charles était plate comme un trottoir de rue », lit-on dans *Madame Bovary* au sujet du brave médecin de campagne. Ne courez pas le risque de subir un tel jugement, apprenez par cœur les mots littéraires ou recherchés qui suivent et placez-les discrètement au cours d'une conversation, d'un air détaché, comme une élégance qui vous est naturelle. Vous verrez s'allumer dans l'œil de votre interlocuteur la lueur admirative de celui qui a compris à qui il a affaire : *quelqu'un qui sait causer*. Au fait, connaissez-vous le sens exact des mots suivants ?

1. Un **cuistre** est :
   a. quelqu'un de brutal et de grossier
   b. quelqu'un de ridiculement pédant
   c. un ustensile de cuisine

2. Faire preuve d'**équanimité**, c'est :
   a. se montrer indulgent
   b. être d'une humeur toujours égale
   c. être impartial

3. La **procrastination** est :
   a. une inflammation aiguë de l'intestin
   b. un délit qui consiste à porter un faux témoignage
   c. la tendance à tout remettre au lendemain

4. Une **argutie** désigne :
   a. un argument ou un raisonnement exagérément subtil
   b. une perte temporaire ou définitive du goût
   c. un oiseau exotique qui ressemble à un faisan

5. Un **contempteur**, c'est :
   a. quelqu'un qui est toujours content de lui
   b. quelqu'un qui émet des critiques
   c. un appareil qui enregistre l'intensité du courant

6. Un écrivain qui est réputé pour son style est un :
   a. stylite
   b. styliste
   c. mégalographe

7. On dit de quelqu'un qu'il **ratiocine** lorsqu'il :
   a. se perd en raisonnements interminables
   b. excelle en calcul mental
   c. se livre à des calculs mesquins

8. **Callipyge** est un mot savant qui signifie :
   a. « aux lèvres charnues »
   b. « aux belles fesses »
   c. « à la cuisse bien galbée »

9. Un pays **policé** est :
   a. un pays où les habitants sont réputés pour leur politesse
   b. un pays où la population est étroitement surveillée
   c. un pays civilisé

10. Un individu qui **vaticine** est quelqu'un qui :
    a. prétend connaître l'avenir, se livre à des prophéties
    b. a une consommation excessive de psychotropes
    c. a une tendance marquée au mensonge et à la fabulation

11. Qu'est-ce qu'un **coryza** ?
    a. un rhume
    b. un oiseau d'Amérique du Sud au plumage jaune et vert
    c. une pâtisserie japonaise à base de haricot rouge

12. Quelqu'un de **cauteleux** est :
    a. très prétentieux
    b. prudent et rusé
    c. atteint de cautèle (maladie des articulations)

13. Qu'appelle-t-on un **apophtegme** ?
    a. une parole mémorable
    b. l'éloge d'un homme de grand mérite
    b. l'obstruction d'une veine par un caillot

14. Un **coreligionnaire**, c'est :
    a. un camarade de chambrée dans l'argot des légionnaires

    b. quelqu'un qui a la même religion que quelqu'un d'autre

    c. un envoyé du pape

15. Un **anachorète** est :

    a. une personne qui mène une vie solitaire et retirée

    b. un chef de chœur (dans une chorale)

    c. un individu sans morale

16. Que signifie l'adjectif **irréfragable** ?

    a. « qu'on ne doit pas réfrigérer » (en parlant d'un aliment)

    b. « qui ne subit pas les attaques du temps, qui est inaltérable »

    c. « qu'on ne peut contredire, qui est irréfutable » (en parlant d'un propos, d'un argument)

Réponses

1. b. Un *cuistre* est une personne qui fait étalage d'un savoir... souvent mal assuré ! Dans un volume de ses *Carnets*, Henry de Montherlant évoque à propos de la langue « le bon français, qui est le français de la rue, et non le français bête, qui est le français des cuistres compassés ».

2. b. Du latin *æquus*, « égal », et *animus*, « âme ». L'*équanimité*, c'est l'égalité d'âme, d'humeur. On dira par exemple de quelqu'un qu'il traverse les vicissitudes de l'existence avec *équanimité*.

3. c. Peu de mots de la langue française sont aussi méconnus alors qu'ils correspondent à une réalité des plus communes. La *procrastination* est en effet la tendance à remettre au lendemain ce que l'on pourrait faire le jour même... Le mot est en français d'un registre littéraire, mais il est bien plus courant en anglais où l'on trouve notamment l'expression idiomatique : *Procrastination is the thief of time* (littéralement : « La procrastination est le voleur de temps ») que l'on peut traduire par : « Ne remettez pas au lendemain ce que vous pouvez faire le jour même. »
À NOTER : le mot a donné deux dérivés rares, *procrastiner* et *procrastinateur*.

4. a. Une *argutie* est un raisonnement qui paraît subtil mais qui sert surtout à masquer la faiblesse de l'argumentation.
Exemple : *le ministre n'a pas convaincu avec un discours plein d'arguties qui manquait d'arguments solides.* Le terme s'emploie souvent au pluriel et a une valeur péjorative.
À NOTER : le *t* se prononce *s*, comme dans *acrobatie* ou *minutie*.

5. b. Un *contempteur*, c'est quelqu'un qui critique, qui méprise. On parlera, par exemple, des *contempteurs* d'un parti politique, d'un mouvement artistique, etc.

6. b. Un écrivain qui a un grand souci du style, qui est reconnu pour ses qualités stylistiques, est un *styliste*. Le terme n'est donc nullement réservé aux métiers du textile et de la mode, mais il reste méconnu dans son contexte littéraire.

7. a. *Ratiociner*, du latin *ratio*, « calcul, compte », c'est se livrer à de longs raisonnements, se perdre en considérations interminables.

71

À NOTER : **1.** Dans *ratiociner*, le *t* se prononce *s*, comme dans *nation*. **2.** Le mot a donné plusieurs dérivés rares, parmi lesquels *ratiocination* et *ratiocineur*.

8. b. Du grec *kallos*, « beauté », et *pugê*, « fesse », *callipyge* signifie « aux belles fesses ». Les amateurs d'art peuvent admirer la statue de la Vénus Callipyge au Musée archéologique de Naples. Ceux qui aiment la précision veilleront à ne pas confondre *callipyge* avec un terme voisin, *stéatopyge*, qui désigne les individus pourvus de fesses volumineuses. Bien entendu, d'un certain point de vue, rien n'interdit d'être à la fois *callipyge* et *stéatopyge*, comme semble le penser un personnage d'une nouvelle de Marcel Aymé :
« — Quel âge qu'elle a, ta langoustine ?
— Cinquante-cinq ans, répondit Martin avec simplicité. [...] Tu lui en donnerais quarante-cinq aussi bien. Et bâtie, pardon, il faut voir. Des épaules. Des seins tant que tu veux. Et des fesses comme pour trois personnes. Ce que j'appelle une femme, quoi. » (« La Traversée de Paris », extrait du *Vin de Paris*, MARCEL AYMÉ.)

9. c. Un pays *policé* est un pays civilisé, où la civilisation a fait son œuvre (le contraire d'un État où règnent le désordre, la violence, la corruption généralisée, etc.). Il semble que le mot soit de plus en plus confondu avec *policier*. Rappelons qu'un régime est dit *policier* lorsque le rôle de la police y est très important, au détriment des libertés individuelles et collectives. La confusion entre ces deux paronymes (mots proches par le son mais différents par le sens) ne peut donc prêter qu'à d'absurdes quiproquos.

À NOTER : appliqué à une personne, le terme *policé* signifie qu'elle est bien éduquée, courtoise. Dans cet emploi, le mot tend à sortir de l'usage.

10. a. Quelqu'un *vaticine* lorsqu'il prétend annoncer l'avenir. Le mot est aujourd'hui nettement péjoratif, car on *vaticine* généralement avec emphase et exagération. Par exemple, on dira de telle personnalité politique qui prophétise l'inéluctable déclin de la France soit qu'elle a une vision pénétrante de l'avenir, soit qu'elle *vaticine*.

11. a. Un *coryza* est le terme médical pour désigner un rhume de cerveau. Du grec *koruza*, « écoulement nasal ». Quant au *coryza spasmodique*, expression terrifiante, ce n'est qu'un banal « rhume des foins ».

« Quant aux faiseurs de vers, ces vauriens, ces maroufles
Ces fainéants barbus, mal peignés, il les a
Plus en horreur que son éternel coryza. [...] »
(« Monsieur Prudhomme », dans *Poèmes saturniens*, PAUL VER-LAINE.)

12. b. Est *cauteleux* celui qui est prudent, rusé, hypocrite. Le paysan *cauteleux* est un cliché littéraire qu'on trouve dans de nombreux romans du XIXᵉ siècle, notamment ceux de Maupassant. L'adjectif est dérivé de *cautèle*, d'un emploi plus rare.

« C'était un garçon honnête et rieur, connaissant son affaire, mais sans ambition comme sans cautèle ; on voyait bien qu'il ne serait jamais de ces maquignons chez qui naissent les juments vertes. [...] » (*La Jument verte*, MARCEL AYMÉ.)

13. a. Un *apophtegme* est une parole mémorable attribuée à un personnage célèbre. Le mot a d'abord été réservé à une sentence d'un personnage de l'Antiquité avant de prendre un sens plus étendu.

14. b. Un *coreligionnaire* est un individu qui professe la même religion qu'un autre. On parlera tout aussi bien de *coreligionnaires* chrétiens, musulmans, juifs, etc.

15. a. Un *anachorète* est un religieux qui vit en solitaire de façon austère (synonyme d'*ermite*). Par analogie, le mot peut désigner toute personne menant une vie solitaire et retirée. De nos jours, le terme est généralement employé avec une valeur ironique et n'est pas toujours bien compris :

« Mme Cloche, par-dessus la tête des deux enfants, harponne le prestidigitateur et lui demande :
— Pourquoi que vous vous appelez l'âne à Corette ?
— Anachorète, répond l'autre, c'est un mot grec pour dire qu'on mange et qu'on ne boit presque pas, comme qui dirait un fakir. » (*Le Chiendent*, RAYMOND QUENEAU.)

16. c. Est *irréfragable* ce qu'on ne peut contredire, réfuter. Exemples : *un témoignage irréfragable, des arguments irréfragables*, etc. Ce mot assez ancien (XVᵉ siècle) s'employait aussi autrefois au sujet d'une personne.

12

Façon de parler

Les expressions idiomatiques

Êtes-vous du genre à *sabler le champagne* ou à le *sabrer* ?
Avez-vous découvert *le pot aux roses* ? Êtes-vous prêt à *épouser
la veuve* ? Les expressions du français, parfois incongrues, souvent mystérieuses, sont toutes des « façons de parler » qui
constituent l'un des plus beaux trésors de la langue. Connaissez-vous le sens et l'origine des expressions rassemblées dans
ce jeu ? Une occasion de vérifier si vous êtes ou non un *fort en
thème*...

1. Doit-on dire aujourd'hui :
   a. sabler le champagne
   b. sabrer le champagne

2. L'origine de l'expression **découvrir le pot aux roses** est-elle
   connue ?
   a. Oui, depuis le XIXᵉ siècle. L'expression trouve son origine
      dans une coutume médiévale : dans certaines régions, la
      nuit de noces des jeunes époux n'avait lieu que si le marié
      dénichait un pot rempli de roses soigneusement caché
      par la mariée.
   b. Non, bien que certaines explications aient été proposées,
      on sait aujourd'hui qu'elles sont fantaisistes. Les origines
      de cette étrange expression demeurent obscures.

3. Quel est le sens de l'expression ancienne **épouser la veuve** ?
   a. assurer sa condition matérielle en épousant une veuve
      fortunée
   b. être pendu ou guillotiné
   c. se sacrifier pour une bonne cause

4. Connaissez-vous la raison pour laquelle on dit **fier comme un pou ?**

    a. Dans le langage populaire, la résistance bien connue des poux aux traitements a été comparée à un comportement fier, orgueilleux (voir aussi *vexé comme un pou*).

    b. L'expression signifie en fait *fier comme un coq* (*pou* vient de l'ancien français *pouil*, « jeune coq »).

5. Dans l'expression *faire des comptes d'apothicaire*, le mot **apothicaire** désigne :

    a. un comptable

    b. un pharmacien

    c. n'importe quel boutiquier (*apothicaire* a pour racine grecque *apothêkê*, « boutique »)

6. On écrit :

    a. à huit clos

    b. à huis clos

    c. à huis clôt

7. La locution **par contre** est-elle correcte ?

    a. Elle est aujourd'hui considérée comme correcte mais reste critiquée par les puristes.

    b. Elle est très incorrecte et doit systématiquement être remplacée par *en revanche*.

8. **Agir de conserve,** c'est :

    a. agir en conservant toujours la même ligne de conduite

    b. agir ensemble

9. Que désignent des **coupes sombres** ?

    a. des réductions importantes (dans un budget, un effectif, etc.)

    b. des réductions peu importantes (même contexte)

10. **Tirer les marrons du feu,** c'est :

    a. tirer avantage d'une situation délicate

    b. préserver l'essentiel lors d'un désastre

    c. prendre des risques pour le profit d'un autre

Réponses

1. a. *Sabler* a signifié au XVIIe siècle « couler un métal en fusion dans un moule fait de sable », mais aussi, par métaphore, « boire d'un trait ». Cette acception a survécu (mais sans l'idée de rapidité) dans l'expression *sabler le champagne* (XVIIIe siècle), « boire du champagne pour fêter un événement ». On se gardera de *sabrer le champagne*, c'est-à-dire trancher le goulot d'un coup de sabre, opération fort délicate qui eut, dit-on, quelques adeptes autrefois.

2. b. L'expression *découvrir le pot aux roses* (« découvrir ce qui est caché, secret ») est si mystérieuse que certains locuteurs n'hésitent pas à écrire, en toute innocence, qu'ils ont découvert le « poteau rose ».
La plupart des lexicographes contemporains considèrent que le *pot* en question n'est qu'un banal récipient que l'on « découvre », le mot signifiant tout à la fois « ôter le couvercle » et « dévoiler un secret ». Mais ce que le pot renferme éclaire en partie le sens de l'expression : des *roses*. La rose, symbole de la fraîcheur virginale, n'est-elle pas le plus bel emblème du mystère féminin ? Si les connotations galantes et érotiques de cette locution sont probables, ses origines demeurent dans l'ombre : nul ne sait en effet à quel usage était réservé autrefois ce pot rempli de roses...

3. b. *Épouser la veuve*, c'est être pendu ou guillotiné. Dans l'ancien argot des malfaiteurs, la *veuve* a désigné la potence (XVIIe siècle), puis la guillotine (XIXe siècle).

« Ils [les détenus] m'apprennent à parler argot, à rouscailler bigorne, comme ils disent. C'est toute une langue entée sur la langue générale comme une espèce d'excroissance hideuse, comme une verrue. Quelquefois une énergie singulière, un pittoresque effrayant : il y a du raisiné sur le trimar (du sang sur le chemin), épouser la veuve (être pendu), comme si la corde du gibet était veuve de tous les pendus. » (*Le Dernier Jour d'un condamné*, VICTOR HUGO.)

4. b. Dans *fier comme un pou*, le pou n'est pas l'animal que l'on croit. Si étrange que cela puisse paraître, c'est en fait un coq. En effet, dans notre locution le mot *pou* est une forme dialectale de l'ancien français *pouil*, « coq, poulet ». Et comme chacun sait, le coq règne fièrement sur la basse-cour... Quoi qu'il en soit, les locuteurs ne semblent guère troublés à l'idée que le pou ait également sa fierté, et cette expression mal comprise leur semble parfaitement naturelle.

5. b. *Apothicaire* est le mot ancien pour désigner le *pharmacien*. Bien que le *Dictionnaire de l'Académie française* juge le mot vieilli dès 1835, il reste usité dans la littérature du XIXe siècle (notamment chez Balzac ou chez Flaubert qui, dans *Madame Bovary*, appelle Homais soit le *pharmacien*, soit l'*apothicaire*). De nos jours, le mot n'est plus vivant que dans l'expression *faire des comptes d'apothicaire* (se livrer à des calculs compliqués et mesquins), sans que le mot *apothicaire* soit toujours compris. Une autre expression aurait mérité de rester dans l'usage tant elle est adaptée à notre époque : *faire de son corps une boutique d'apothicaire*, c'est-à-dire consommer de nombreux médicaments sans réelle nécessité (l'expression se trouve dans le *Dictionnaire de l'Académie* dès 1694). On songe aux innombrables remèdes absorbés par Argan dans *Le Malade imaginaire* pour le plus grand bien de M. Fleuran, son *apothicaire*.

À NOTER : au XVIIIe siècle, on relève le mot *apothicairesse*, dont était joliment gratifiée la femme du pharmacien.

6. b. Si la locution *à huis* clos est généralement bien comprise au sens de « toutes portes fermées ; sans admission du public », l'*huis* reste un mot mystérieux pour nombre d'usagers. *Huis* est un synonyme ancien de *porte*. « Il va mendiant d'huis en huis », écrit le *Dictionnaire de l'Académie* (1694), mais dès l'édition suivante (1762), le mot est déjà qualifié de « vieux ». De nos jours, il n'est plus vivant que dans *à huis clos*, mais on le reconnaît dans *huissier, huisserie*.

7. a. S'il y a une idée fausse que les puristes sont parvenus à imposer dans l'esprit de nombreux usagers, c'est que *par contre* est « la » faute de français à ne pas commettre. À quoi tient un tel anathème ? Ou plutôt à qui ?... Tout d'abord à Voltaire, qui reprochait à *par contre* d'être un terme de marchand (lui, le petit-fils d'un marchand d'étoffes !). Son jugement a été repris par l'Académie française, puis par Littré. Cependant, de nombreux écrivains ont employé *par contre* sans rougir, et André Gide en a même pris la défense : « Trouveriez-vous décent qu'une femme vous dise : "Oui, mon frère et mon mari sont revenus saufs de la guerre ; *en revanche* j'y ai perdu mes deux fils" ? » (Gide montre bien qu'*en revanche* est naturellement associé à l'idée d'avantage et qu'il peut paraître incongru dans certains cas.)

Si *par contre* ne peut plus être considéré aujourd'hui comme incorrect, on concédera aux inconditionnels d'*en revanche* que cette locution s'inscrit dans un niveau de langage plus soutenu.

8. b. En termes de marine, une *conserve* était autrefois un navire qui en accompagnait un autre pour lui porter secours en cas de difficulté (XVIᵉ siècle). Deux bâtiments qui naviguaient *de conserve* suivaient la même route sans se perdre de vue. Au figuré, *de conserve* a pris le sens d'« ensemble ».

De conserve est souvent comparé avec une autre locution, *de concert*. De l'italien *concerto*, *concert* a d'abord signifié « entente, union » (XVIIᵉ siècle).

Exemple : *le concert des nations*. *Agir de concert*, c'est donc agir « en accord, en harmonie ». On le voit, la nuance sémantique est ténue et l'usage littéraire confond parfois les deux locutions. On retiendra surtout que *de concert* s'emploie encore dans un registre littéraire alors que *de conserve* tend à sortir de l'usage.

9. b. Au sens propre, faire une *coupe sombre* dans une forêt, c'est y pratiquer un abattage partiel qui supprime un petit nombre d'arbres (et laisse donc la forêt « sombre »). Par contresens, au figuré, l'expression est couramment employée pour désigner des réductions importantes (dans un budget, un effectif, etc.). Dans ce cas, il est plus logique de parler de *coupe claire* (au sens propre, « abattage important d'arbres permettant de donner de la lumière aux jeunes arbres »), ce que font d'ailleurs certains. D'où cette incongruité linguistique (et cette ambiguïté) : on croise parfois dans la presse des « coupes sombres » et des « coupes claires » au sujet des mêmes réductions budgétaires...

10. c. *Tirer les marrons du feu*, c'est « courir des risques pour le seul profit d'autrui ». L'expression s'emploie par référence à la fable de La Fontaine, *Le Singe et le Chat*. Le singe (Bertrand) obtient de Raton (le chat) qu'il prenne tous les risques pour son seul intérêt :

« Aussitôt fait que dit : Raton avec sa patte,
D'une manière délicate,
Écarte un peu la cendre, et retire les doigts,
Puis les reporte à plusieurs fois ;
Tire un marron, puis deux, et puis trois en escroque.
Et cependant Bertrand les croque. »

13

L'accent circonchose

Accentuation

« Merde, c'est d'un compliqué... Ah ! enfin, des mots que tout le monde connaît... vestalat... vésulien... vétilleux... euse... ça y est ! Le voilà ! et en haut d'une page encore. Vêtir. Y a même un accent circonchose. » (*Zazie dans le métro*, RAYMOND QUENEAU.)

Seul le dictionnaire permet parfois de s'assurer qu'un mot est coiffé d'un accent circonflexe, tant son emploi échappe à toute règle rigoureuse et cohérente. Découvrez les mystères de l'accent circonchose, ainsi que des autres accents et du tréma, à travers les huit questions qui suivent.

1. On écrit :
   a. événement ❑   évènement ❑   èvènement *ou* événement ❑
   b. allègement ❑   allégement ❑   allègement *ou* allégement ❑

2. Mettez l'accent (aigu ou grave) sur les voyelles en gras... seulement si cela vous paraît nécessaire.

   rebellion – exquisement – cremerie – rehausser – feerie – ça et la – refrener – de-ci de-la – reglementaire – puisse-je vivre assez longtemps !

3. Mettez l'accent circonflexe sur les *o* qui en ont besoin.

   fantome – fantomatique – symptome – symptomatique – drole – drolatique – clone – cone – conique – icone – iconoclaste – cotes-du-Rhone – coteau – « O la femme à l'amour câlin et réchauffant » (Verlaine).

4. Certains des mots qui suivent ont reçu par erreur un accent circonflexe sur le *a*, le *i* ou le *u*. Barrez d'un trait les voyelles qui ne devraient pas être accentuées.

râler – râteau – râtisser – grâce – grâcieux – cîme – abîme – dîme – affût – raffût – hâve – hâvre.

5. En français, neuf adverbes en *-ument* portent un accent circonflexe sur le *u*. Il y a donc trois intrus dans la liste qui suit. Démasquez-les en les entourant d'un trait.

   assidûment – congrûment – absolûment – continûment – ingénûment – crûment – dûment – goulûment – incongrûment – indûment – nûment – résolûment.

6. Quelle est l'orthographe correcte des mots qui suivent ?
   a. une somme due ☐ dûe ☐
   b. rendez-moi **mon dû** ☐ **mon du** ☐
   c. **il dût** ☐ **il dut** ☐ s'y prendre à deux fois
   d. ce fut un **bon cru** ☐ un **bon crû** ☐

7. Combien de mots en gras dans cette phrase sont-ils mal orthographiés ? Vous pouvez les corriger en supprimant ou en ajoutant un accent circonflexe.

   « Pour donner un **arôme** vraiment délicat à votre café, il **eut** fallu que vous **moulûssiez** plus finement les grains », affirme Nicole à Monique, sur le ton de celle qui connait son affaire.

8. Pour terminer, abandonnons l'accent pour le tréma. Placez ce signe (¨) sur la lettre qui convient dans chacun des mots qui suivent.

   ambiguité – ambigue – exiguité – exigue – coincidence – amuir – cigue – maelstrom.

Réponses

1. a. Événement ou évènement.
b. Allégement ou allègement.
Ces deux mots s'écrivent traditionnellement *all**é**gement* et *év**é**-nement*, avec un accent aigu. *All**è**gement* et *év**è**nement*, avec un accent grave, sont aujourd'hui admis par tous les dictionnaires, y compris le *Dictionnaire de l'Académie française*. On ne doit plus considérer comme fautives ces graphies qui présentent l'avantage d'être conformes à la prononciation (*e* « ouvert »).

À NOTER : on note la même évolution pour *allégrement*. L'ortho-graphe avec l'accent aigu est la plus traditionnelle, mais la gra-phie avec l'accent grave *(all**è**grement)* est désormais admise.

2. Rébellion – exquis**é**ment – cr**é**merie – rehausser – f**é**erie – ç**à** et l**à** – refr**é**ner ou r**é**fréner – de-ci de-l**à** – r**é**glementaire – puiss**é**-je vivre assez longtemps !

À NOTER : **1.** *Crème* a un accent grave, mais ses dérivés s'écrivent avec un accent aigu (*crémerie, crémier, crémeux*, etc.) **2.** *Féerie* ne prend qu'un accent mais se prononce couramment *fé-é-rie*. **3.** *Çà et là* est une locution adverbiale. Les deux éléments pren-nent un accent pour les distinguer respectivement du pronom *ça* et de l'article *la*. **4.** On écrit traditionnellement *refréner*, mais les dictionnaires contemporains admettent également *réfréner*, dont la graphie est conforme à la prononciation. **5.** *Règle* et *règlement* ont un accent grave, mais les autres dérivés prennent un accent aigu (*régler, réglementaire, réglementation*, etc.) **6.** *Puissé-je* est la forme que prend la 1ʳᵉ personne de *pouvoir* dans le cas d'un « subjonctif optatif » (qui exprime un souhait).

3. Fantôme – fantomatique – symptôme – symptomatique – drôle – drolatique – clone – cône – conique – icône – icono-claste – côtes-du-Rhône – coteau – « Ô la femme à l'amour câlin et réchauffant » (Verlaine).

À NOTER : **1.** *Fantôme* et *symptôme* perdent l'accent dans les adjectifs dérivés *fantomatique* et *symptomatique*. **2.** *Drôle* perd son accent dans son dérivé *drolatique* (« qui amuse par son originalité, son côté pittoresque »). **3.** *Cône* prend un accent circonflexe, mais pas son dérivé *conique*. **4.** *Icône* a un accent circonflexe, mais pas ses dérivés (*iconoclaste, iconographie*, etc.) **5.** *Côte* prend un accent circonflexe, mais pas le dérivé *coteau*.

6. L'interjection *ô* (dit « *ô* vocatif »), fréquente en poésie, est toujours accentuée.

4. Il fallait rayer les lettres qui figurent en gras et qui doivent s'écrire comme suit : râler – râteau – ra**t**isser – grâce – gra**c**ieux – **c**ime – abîme – dîme – affût – raf**fut** – hâve – havre.

À NOTER : **1.** *Râteau* et ses dérivés (*râtelier*, *râteler*, etc.) prennent un accent circonflexe sur le *a*.
Attention ! *Ratisser* n'est pas dérivé de *râteau* et n'est pas accentué. **2.** *Grâce* et *disgrâce* prennent un accent circonflexe, mais pas leurs dérivés *gracieux, disgracieux, gracier, disgracier*. **3.** On apprenait autrefois dans les écoles : « Le chapeau de la cime est tombé dans l'abîme », moyen mnémotechnique de retenir que *cime* s'écrit sans accent et qu'*abîme* en prend un.

5. Il fallait entourer les trois adverbes en gras qui doivent s'écrire sans accent circonflexe : assidûment – congrûment – **absolument** – continûment – **ingénument** – crûment – dûment – goulûment – incongrûment – indûment – nûment – **résolument**.

À NOTER : l'accent circonflexe sur le *u* marque la chute du *e* féminin dans certains adverbes dérivés d'adjectifs en -*u*. Exemple : *assidu, assidue* → *assidûment*. Malheureusement, la justification historique ne s'applique pas avec rigueur à l'ensemble des adverbes en -*ument*, d'où une disparité qui empêche la formulation d'une règle.

6. a. Une somme due. Le participe passé de *devoir* ne prend d'accent circonflexe qu'au masculin singulier (*dû*, mais *dus, due, dues*).
b. Rendez-moi mon dû. On reconnaît ici le participe passé *dû* qui est substantivé.
c. Il dut s'y prendre à deux fois. Ne pas confondre *il dut* (3ᵉ personne du singulier du passé simple) avec *qu'il dût* (3ᵉ personne du singulier du subjonctif imparfait).
d. Ce fut un bon cru. Contrairement au participe passé de *croître*, un *cru* s'écrit sans accent circonflexe.

7. Voici la phrase correctement orthographiée : « Pour donner un **arôme** délicat à votre café, il **eût** fallu que vous **moulussiez** plus finement les grains », affirme Nicole à Monique, sur le ton de celle qui connaît son affaire.

À NOTER : **1.** *Arôme* prend un accent circonflexe sur le *o*, mais pas ses dérivés *aromate, aromatique, aromathérapie*. **2.** Il *eût* *fallu* est le conditionnel passé (2ᵉ forme) de *falloir*. **3.** *Moulussiez* est conjugué à l'imparfait du subjonctif. Seule la troisième personne, *qu'il moulût*, reçoit un accent sur le *u*. **4.** *Connaître* prend un accent circonflexe à la troisième personne du singulier de l'indicatif présent (il *connaît*), comme les autres verbes en *-aître* (il *naît*, il *paraît*, etc.).

8. Ambiguïté – ambiguë – exiguïté – exiguë – coïncidence – amuïr – ciguë – maelström.

À NOTER : **1.** Le tréma indique généralement que l'on ne doit pas prononcer deux lettres en un seul son. On hésite souvent sur son emplacement, surtout lorsqu'il surmonte un *e* muet, comme dans *ambiguë, ciguë, exiguë*. **2.** On écrit *amuïr* (« devenir muet », en parlant d'une lettre dans un mot), mais le tréma paraît bien inutile puisqu'on écrit *fuir*. **3.** *Maelström*, mot néerlandais, comporte un tréma sur le *o*. Les dictionnaires mentionnent aussi la graphie francisée *malstrom*, plus conforme à notre système orthographique.

14

Un air de famille

Les mots que l'on confond

La confusion entre certains mots prête parfois à sourire. *Enduire d'erreur* pour *induire en erreur, circoncire* pour *circonscrire*... Pourtant, les paronymes (mots dont la sonorité est proche) et les mots de sens voisin sont une source constante d'hésitations pour les usagers de la langue et méritent d'être considérés avec la plus grande attention. La clarté et la précision de l'expression orale et écrite dépendent en partie de la capacité de chacun à employer les mots à bon escient. Entre un écrivain *prolixe* et un écrivain *prolifique* (deux termes systématiquement confondus), il y a une différence notable de signification... et éventuellement de talent !

1. À la soirée bridge, Raymond nous a **rabattu** ❑ **rebattu** ❑ les oreilles de ses plaisanteries, les mêmes depuis dix ans.

2. Dimanche, Jacques accompagne sa mère chez Simone et **amène** ❑ **apporte** ❑ le gâteau.

3. Auteur de plusieurs centaines de romans, Georges Simenon est un auteur **prolixe** ❑ **prolifique** ❑.

4. Le premier secrétaire du parti, très contesté au sein même de son camp, redoute une **collusion** ❑ **collision** ❑ entre les secrétaires des fédérations départementales.

5. Le journaliste a **mis au jour** ❑ **mis à jour** ❑ d'importants dysfonctionnements dans le déroulement de l'enquête.

6. Les soldats du feu déploient tous leurs moyens pour **circonscrire** ❑ **circonvenir** ❑ l'incendie.

7. Kévin et Élodie se perdent en **conjonctures** ❏ **conjectures** ❏ : qui sera le vainqueur de l'émission « Star à tout prix » ?

8. Cet auteur sans talent a été **mythifié** ❏ **mystifié** ❏ par ses admirateurs en nouvel écrivain maudit.

9. « Une belle **denture** ❏ **dentition** ❏ est le secret de la séduction ! » a lancé le dentiste, à bout d'arguments, pour convaincre Kévin d'avoir une meilleure hygiène.

10. « La présence des **aïeuls** ❏ **aïeux** ❏ est très importante pour l'équilibre des enfants », a assuré la psychologue scolaire à Monique.

11. La psychologue scolaire a affirmé à Monique que Kévin se réfugiait dans le monde virtuel des jeux vidéo pour ne pas **se coltiner aux réalités** ❏ **se colleter aux réalités** ❏.

12. Sur l'antenne de Cool FM, Kévin a **dédicacé** ❏ **dédié** ❏ sa chanson préférée à Élodie en lui envoyant plein de grosses bises.

13. L'émission télévisée consacrée aux massacres **perpétués** ❏ **perpétrés** ❏ par les chrétiens lors de la prise de Jérusalem a remporté un score inattendu à l'Audimat.

14. « J'ai **un enfant prodige !** ❏ **un enfant prodigue !** ❏ » s'est exclamé le père de Valentin, reçu premier au concours général de philosophie.

15. « Malgré les efforts du gouvernement, le taux de chômage a connu cette année sa plus forte progression de la **décennie** ❏ **décade** ❏ », fait observer Nicole à table d'un air sombre.

16. Kévin est fou de joie : il a reçu pour son anniversaire un kit de trois cents mélodies pour **personnaliser** ❏ **personnifier** ❏ les sonneries de son portable.

Réponses

1. Rebattu. On *rebat les oreilles à quelqu'un* (de quelque chose). En effet, des *oreilles rabattues* (donc repliées) ne permettent pas d'entendre grand-chose. *On nous rabaisse les oreilles* (entendu sur les ondes) est original mais n'améliore pas l'audition.

2. Apporte. On *amène* quelqu'un, mais on *apporte* quelque chose. La langue parlée fait rarement la différence entre *amener* et *apporter*. Dans tous les cas, évitez absolument de dire : « J'ai *apporté* grand-mère », qui est tout à fait inconvenant.

3. Prolifique. La confusion entre ces deux termes est quasi systématique et *prolixe* s'emploie souvent à tort là où c'est *prolifique* qui s'impose. Un auteur *prolifique* est très productif, son œuvre est abondante. Un auteur *prolixe* a quant à lui une fâcheuse tendance à délayer, à être trop long, redondant. Paul Léautaud, toujours aimable avec ses confrères, a donné dans *Passe-Temps* un exemple éclairant de *prolixité* littéraire : « Une phrase des Goncourt dans *Les Frères Zemgano* : "Silencieuse, muette, elle ne disait pas un mot à son pauvre mari." On ne s'étonne plus si on faisait alors des livres aussi gros. »

4. Collusion. Ce terme signifie « entente secrète au détriment d'un tiers » et par extension « connivence ». Il est courant dans un contexte politique ou guerrier. *Collusion* est parfois confondu avec un quasi-homonyme, *collision*, qui désigne un choc entre deux corps (dont l'un au moins est en mouvement) et, au sens figuré, un conflit, une opposition.
Exemple : *l'accord n'a pu être signé à cause d'une collision d'intérêts.*

5. Mis au jour. On *met au jour* des vestiges, des ruines, c'est-à-dire qu'on les met à découvert. On *met à jour* sa correspondance, sa comptabilité, en les mettant en conformité avec le moment présent.

6. Circonscrire. Ce mot signifie « faire tenir dans certaines limites ». On *circonscrit* une épidémie, un incendie, c'est-à-dire ce qui menace de se propager (attention, un incendie *circonscrit* n'est pas *éteint*).
Au figuré, on *circonscrit* un sujet, un discours, un débat. Par exemple, un enseignant demandera à un étudiant de mieux

cerner, de mieux *circonscrire* le sujet de son exposé, de son mémoire, etc.

Circonvenir quelqu'un, c'est le manipuler pour obtenir quelque chose de lui. Exemple : *circonvenir un témoin, un juge*, etc.

7. Conjectures. Une *conjecture* est une supposition, une hypothèse. Employé au pluriel, le mot a souvent une nuance péjorative : *se perdre, s'épuiser en conjectures. En être réduit à des conjectures*. Ne pas confondre ce terme avec son paronyme *conjoncture*, « situation résultant d'un concours de circonstances ». Exemple : *la conjoncture internationale explique les mauvais chiffres du marché*.

8. Mythifié. Être *mythifié*, c'est être transformé en mythe. *Démythifier* un personnage historique ou une figure littéraire, c'est lui ôter sa valeur de mythe.

Mystifier quelqu'un, c'est le tromper en abusant de sa crédulité. Exemple : *il a été mystifié par un faux homme d'affaires*. On est donc *démystifié* quand on est détrompé.

9. Denture. À strictement parler, on doit distinguer entre la *denture* (ensemble des dents chez l'humain ou l'animal) et la *dentition* (formation des dents chez l'enfant). Depuis la fin du XIXe siècle, *dentition* est employé comme synonyme de *denture* dans la langue courante et cette confusion n'est plus considérée comme fautive. Disposer de deux mots pour désigner deux réalités différentes est pourtant une excellente raison de maintenir la distinction entre ces deux termes.

10. Aïeuls. Le mot *aïeul* a deux pluriels, *aïeux* et *aïeuls*. Les *aïeuls*, ce sont les grands-parents maternels et paternels. Les *aïeux*, ce sont les ancêtres.

À NOTER : jusqu'au XVIIIe siècle, le mot *aïeuls* a désigné soit les grands-parents, soit les ancêtres, avant de se restreindre aux seuls grands-parents. Le terme est aujourd'hui vieilli et réservé à l'usage littéraire.

11. Se colleter aux réalités. *Coltiner* est un verbe transitif. *Coltiner* quelque chose, c'est porter de lourdes charges. Exemples : *coltiner des paquets, coltiner une malle*. Le verbe est dérivé de *coltin*, sorte de large chapeau en cuir qui couvrait autrefois la tête et les épaules des portefaix. On comprend mieux alors la signification de *se coltiner* (emploi familier) : « Subir quelque chose ou quelqu'un de pénible, de pesant. » Selon les circonstances de la vie et le sort qui échoit à chacun, on *se coltine* son patron, la vaisselle, sa belle-mère, etc.

Se colleter avec quelqu'un, c'est se battre avec lui, littéralement « le saisir au collet ». Dans cet emploi, le verbe est vieilli mais il est encore vivant au figuré dans une construction pronominale : *se colleter* avec les difficultés, les réalités, c'est se débattre contre elles.

12. Dédié. Depuis quelques années, on entend de plus en plus le verbe *dédicacer* là où c'est le verbe *dédier* qui convient. *Dédier* une chose à une personne, c'est la lui destiner. Exemple : *dédier une pensée, une chanson, un roman à quelqu'un.*

Le sens de *dédicacer* est plus restreint. *Dédicacer*, c'est écrire à l'intention de quelqu'un quelques mots ou simplement une signature sur un livre, un tableau, une photographie, etc.

« Dans une dédicace on ne doit pas évoquer son livre, que le destinataire n'ouvrira jamais et dont il se fiche. On doit – coûte que coûte – lui glisser un sentiment bien senti. » (*Tous Feux éteints*, HENRY DE MONTHERLANT.)

À NOTER : on appelle *dédicataire* le destinataire d'une *dédicace* imprimée.

13. Perpétrés. Perpétrer/perpétuer : vraie confusion ou simple lapsus entre deux mots très proches phonétiquement ? Quoi qu'il en soit, il convient de distinguer soigneusement les deux termes dont le sens est radicalement différent. *Perpétrer* quelque chose, c'est commettre une action criminelle (un meurtre, un attentat, un massacre, etc.). *Perpétuer* signifie « faire durer indéfiniment ou très longtemps ». Exemple : *le conseil régional tient à perpétuer la fête du vin qui fait partie des traditions locales.*

14. Prodige. Un *enfant prodige* est extrêmement précoce et doué. Exemple : *Karl, cet enfant prodige, a déjà sauté trois classes.* Ce terme est parfois confondu avec un mot de forme voisine, *prodigue*, mais qui désigne un enfant d'une tout autre nature, nettement moins enviable... *L'enfant prodigue* (ou le *fils prodigue*), c'est celui qui revient au domicile paternel après avoir dilapidé son argent. Cette expression de « fils prodigue » fait allusion à un épisode biblique. Dans l'Évangile selon saint Luc (XV, 11-32), on peut ainsi lire qu'après avoir dilapidé sa part d'héritage en menant une vie de débauche, un jeune homme repentant rentre à la maison où il est aussitôt pardonné par son père : « Mon fils que voici était mort et il est revenu à la vie. » Cette histoire qui commence mal et finit bien (par un pardon et un festin) est l'une des nombreuses paraboles que renferment les Évangiles.

15. Décennie. De nos jours, il semble entendu qu'une *décennie* est une période de dix ans et une *décade* une période de dix jours. On veillera à conserver cette distinction afin d'éviter tout quiproquo.

À NOTER : *décade* vient du grec *dekas*, qui désigne d'une manière générale « toute série de dix ». À partir de la Révolution, *décade* a signifié en français « période de dix jours », mais, au début du XXe siècle, le mot a pris le sens de « période de dix années », probablement sous l'influence de l'anglais *decade*. Pour dissiper le risque d'ambiguïté, l'usage s'est établi de réserver le sens de « dix ans » à *décennie* et celui de « dix jours » à *décade*.

16. Personnaliser. *Personnaliser*, c'est rendre personnel, et tout spécialement donner un caractère personnel à un objet de grande consommation. Depuis quelques années, le mot connaît un succès sans précédent, et l'on ne compte plus tout ce qui se *personnalise* : les crédits, les tee-shirts, les sonneries téléphoniques... L'omniprésence de *personnaliser* dans le vocabulaire publicitaire a quelque peu éclipsé un mot voisin, *personnifier*, qu'on emploie parfois sans être bien assuré de ce qu'il signifie. *Personnifier*, c'est d'abord évoquer, représenter sous des traits humains quelque chose d'abstrait. Le terme est essentiellement réservé au domaine des arts. Par exemple, on dira d'Harpagon ou du père Grandet qu'ils *personnifient* le vice de l'avarice. Mais plus courant est l'emploi de *personnifier* au sens de « posséder une qualité au plus haut degré ». Le verbe se met alors le plus souvent au participe passé. Exemple : *le Premier ministre a affirmé que le secrétaire général du parti était l'honnêteté personnifiée.*

15

Melting-pot

Les mots d'ailleurs

Caviar, cigare, sieste... Voilà des mots étrangers chaleureusement accueillis par les usagers français. D'autres emprunts, les anglicismes, aux manières tapageuses, sont jugés par certains envahissants. Quoi qu'il en soit, le français s'est nourri tout au long de son histoire de ces mots venus d'ailleurs. Du francique à l'anglo-américain, de l'italien à l'arabe, le melting-pot lexicographique qui suit vous permettra d'améliorer votre français... tout en vous initiant aux langues étrangères.

1. « Nos ancêtres les Gaulois » nous ont laissé en héritage quelques dizaines de mots, tandis que les terribles envahisseurs germaniques qui ont sévi au début de notre ère nous en ont légué plusieurs centaines. Dans la liste suivante, essayez de distinguer les mots gaulois des mots germaniques.

   guerre – chêne – flèche – druide – bourg – charrue.

2. Au cours de son histoire, le français a fait des « emprunts » à d'autres langues : espagnol, italien, allemand, néerlandais, etc. Les quatre mots suivants appartiennent à la même langue d'origine. Laquelle ?
   Concerto, solfège, costume, escarpin sont des mots :
   espagnols ❐ italiens ❐

3. Les mots empruntés à l'arabe sont assez nombreux en français, mais ont parfois transité par d'autres langues (espagnol, italien, etc.). Dans la liste suivante, tous les mots sont d'origine arabe, sauf un. À vous d'identifier l'intrus.

   chiffre – zénith – zéro – odalisque – toubib – élixir – bled – chouïa.

4. **Ingambe.** Ce mot vous dit peut-être quelque chose, mais que savez-vous ou que devinez-vous de lui ?
   a. C'est un mot d'origine italienne.
   Vrai ❏ Faux ❏
   b. Il signifie « qui n'a plus le plein usage de ses jambes ».
   Vrai ❏ Faux ❏

5. Quelle est l'origine du mot **caviar** ?
   a. turque
   b. russe
   c. iranienne

6. Comment rédiger le menu ? Choisissez l'orthographe admise par les dictionnaires contemporains de ces deux mots (dans le cas où plusieurs graphies sont acceptables pour un même mot, cochez plusieurs cases).
   a. yaourt ❏ yahourt ❏ yogourt ❏ yoghourt ❏
   b. bifteck ❏ beefteck ❏ beefteack ❏ beefsteak ❏

7. Certains anglicismes se sont si bien intégrés au système graphique du français qu'ils sont aujourd'hui méconnaissables. Parmi les mots suivants, repérez les deux anglicismes qui n'en ont plus l'air.

   paquebot – aéroplane – redingote – jaquette – entrevue.

8. Ils ressemblent à des mots anglais, ils sonnent comme des mots anglais... mais ce sont des créations françaises inconnues dans la langue de Shakespeare. Quels sont les « faux anglicismes » qui se sont glissés dans la liste qui suit ?

   surbooking – jogging – footing – dispatching – zapping – cocooning – parking.

9. Quelle est la phrase qui comprend un anglicisme ?
   a. Karl a initié un projet innovant
   b. Karim s'initie à la méditation
   c. Nicole commence un « programme minceur »

10. Connaissez-vous le mot imaginé par les Québécois pour se substituer à l'anglicisme *e-mail* ?
    a. un mél
    b. un messel
    c. un courriel

Réponses

1. Sont d'origine gauloise les mots suivants :
chêne – druide – charrue.
Sont d'origine germanique les mots suivants :
guerre – flèche – bourg.

À NOTER : au côté des mots latins (environ 80 % de notre lexique), les mots gaulois (essentiellement liés à la vie rurale) et germaniques (franciques pour la plupart) constituent ce que l'on appelle le « fonds primitif » du français. Ce fonds s'est constitué au fil des invasions, migrations, échanges commerciaux... L'âpreté de certains mots germaniques (*blesser, guerre, haïr*) est tempérée par des termes plus doux comme *guérir*, voire bienveillants comme *épargner*. De nombreux mots germaniques désignent également des végétaux, des animaux, des couleurs, etc.

2. Concerto, **solfège**, **costume**, **escarpins** sont des mots italiens.

À NOTER : **1.** Le français comporte de nombreux mots italiens (environ 800), notamment dans le domaine de la musique (*concerto*, *opéra*, *piano*, *solfège*, etc.) ou de l'habillement (*caleçon*, *pantoufle*, etc.). La plupart de ces vocables ont été introduits en France au XVIᵉ siècle, le prestige de l'Italie étant alors considérable. **2.** L'espagnol a été également un pourvoyeur non négligeable de mots (environ 300), dont certains traduisent un certain art de vivre (*cigare*, *sieste*)...

3. Odalisque. Le mot n'est pas d'origine arabe, mais turque (*odalik*). Dans l'ancien Empire ottoman, une *odalisque* était une esclave au service des femmes du harem. Le mot *odalisque*, apparu en France au XVIIᵉ siècle avec ce sens initial, a désigné dès le XVIIIᵉ siècle une femme du harem (au lieu de sa servante). Ce « glissement sémantique » s'explique par l'habitude qu'ont prise certains peintres de baptiser *odalisques* la représentation de femmes orientales voluptueusement étendues sur un lit... (Voir par exemple *La Grande Odalisque*, Ingres, 1814.)

4. a. Vrai. *Ingambe* vient de l'italien *in gamba*, « en bonne santé, alerte ». *Gamba* signifie « jambe » en italien.

b. Faux. *Ingambe* signifie « qui a le plein usage de ses jambes »... et non le contraire.

Attention au contresens par confusion avec les mots commençant par le préfixe privatif -*in* (*incompétent*, *indomptable*, etc.).

5. Turque. Le mot *caviar* a été emprunté au XVIe siècle à l'italien *caviale* qui a lui-même pour origine un mot turc (et non pas russe), *kavyar*.

6. a. Les orthographes usuelles sont *yaourt* (de loin la plus courante), *yogourt* et *yoghourt* (un peu vieillie). Comme *caviar*, le mot est d'origine turque. Il est attesté en français dès le XVe siècle, mais n'est devenu courant qu'au début du XXe siècle, après avoir connu de nombreuses variantes orthographiques.
b. La seule orthographe admise aujourd'hui par la plupart des dictionnaires est *bifteck*. La graphie anglaise *beefsteack* n'est pas mentionnée par les dictionnaires actuels et la graphie francisée *biftèque* n'est plus qu'une curiosité littéraire (on la trouve notamment chez Marcel Aymé et Raymond Queneau).

7. Les emprunts à l'anglais figurent en gras dans la liste suivante :
paquebot – aéroplane – **redingote** – jaquette – entrevue.
À NOTER : **1.** *Paquebot* vient de l'anglais *packed-boat*, composé de *packet*, « paquet » (en l'occurrence paquet du courrier), et *boat*, « bateau » **2.** *Redingote* est emprunté à l'anglais *riding-coat*, « vêtement de cavalier ». **3.** *Interview* vient du français *entrevue*, et non l'inverse. En français, toute *entrevue* n'est pas une *interview*, mais pour éviter l'anglicisme les Québécois l'utilisent systématiquement à la place d'*interview*.

8. Les faux anglicismes figurent en gras dans la liste qui suit :
surbooking – jogging – **footing** – dispatching – **zapping** – cocooning – **parking**.
À NOTER : **1.** Les « faux anglicismes » sont des mots qui n'existent pas en anglais mais qui sont formés à partir d'éléments anglais. *Surbooking* en est un exemple gratiné, monstre hybride formé du préfixe -*sur* et de l'anglais *booking*, « réservation ». L'équivalent français *surréservation*, nettement moins courant, semble réservé aux locuteurs raffinés. **2.** Après avoir connu son heure de gloire dans les années 1980, le faux anglicisme *footing* (qui existe en anglais, mais avec un tout autre sens) est aujourd'hui supplanté par *jogging*, vrai anglicisme. **3.** Pour inventer *parking*, l'un de nos plus anciens pseudo-anglicismes, les Français ont ajouté à l'anglais *to park* la finale -*ing* (rien de plus

anglais pour un Français). En toute simplicité, les Québécois se contentent du mot *stationnement*...

9. Karl a initié un projet innovant. L'anglicisme *initier*, au sens de *commencer*, connaît depuis quelques années un succès fulgurant. Il semble qu'*initier* soit perçu par les usagers comme un mot choisi, de plus belle allure que *commencer*, *inaugurer*, *lancer*, etc. En d'autres termes, *initier* fait partie de ces mots qui donnent le sentiment de « bien causer », alors même que son emploi est discutable, et même « très critiquable » d'après le lexicographe Alain Rey. En effet, *initier* s'est imposé en français depuis le XVIIᵉ siècle avec le sens d'« enseigner les bases d'une science, d'une technique, d'une discipline quelconque... ». Exemple : *être initié à la philosophie, aux sports nautiques*, etc. Certains trouvent des circonstances atténuantes à *initier* au sens de *commencer* : le mot vient du latin *initiare* qui signifie... « commencer ». Le débat reste ouvert.

10. Courriel. *E-mail* est une abréviation de l'anglo-américain *electronic mail*. Les locuteurs français se contentent généralement de *mail* (« Tu as reçu mon mail ? »), tandis que les Québécois utilisent plus volontiers le terme *courriel*, excellent néologisme, mot court, parfaitement formé, d'une sonorité claire et agréable. L'Académie française se serait-elle déshonorée si elle avait réservé à *courriel* l'accueil qu'il méritait ? Elle a préféré entériner le mot *mél* (terme officiellement recommandé), difficile à prononcer et inconnu des usagers. En France, *courriel* ne s'est pas encore imposé dans le langage courant, mais il tient sa place dans les colonnes de certains journaux (notamment *Le Monde*) et il n'est plus rare de l'entendre à la radio. Il est la preuve vivante, sonore et écrite, que les francophones sont capables de créer des mots pour désigner de nouvelles réalités qui les entourent (voir par le passé *ordinateur*, *logiciel*, *baladeur*, etc.).

Bibliographie

Dictionnaire de l'Académie française, éditions de 1694, 1798, 1835, 1932-1935, 9ᵉ édition en cours.

Dictionnaire de la langue française, Émile Littré, 1863-1872.

Trésor de la langue française, CNRS, 16 vol., 1971-1994.

Grand Larousse universel, 15 vol., 1986.

La Puce à l'oreille, Claude Duneton, Balland, nouvelle édition, 1990.

Dictionnaire du français non conventionnel, Jacques Cellard et Alain Rey, Hachette, 1991.

Dictionnaire des expressions et locutions, Alain Rey et Sophie Chantreau, Le Robert, 1993.

Le Bon Usage, Maurice Grevisse, (édition revue par) André Goosse, Duculot, 1993.

Dictionnaire historique de la langue française, sous la direction d'Alain Rey, Le Robert, 1998.

Nouveau Dictionnaire des difficultés du français moderne, Hanse/Blampain, Duculot, 2000.

Le Petit Larousse, 2004.

Le Petit Robert, 2004.

Le Grand Dictionnaire terminologique, mis en ligne par l'Office québécois de la langue française (www.granddictionnaire.com).

Librio

672

Composition PCA - 44400 Rezé
Achevé d'imprimer en France (Ligugé) par Aubin
en octobre 2006 pour le compte de E.J.L.
87, quai Panhard-et-Levassor, 75013 Paris
Dépôt légal octobre 2006
1er dépôt légal dans la collection : février 2005

Diffusion France et étranger : Flammarion